SOLO D'UN
REVENANT

Du même auteur

KOSSI EFOUI

SOLO D'UN REVENANT

r o m a n

ÉDITIONS DU SEUIL
25, bd Romain-Rolland, Paris XIVe

ISBN 978-2-02-097193-5

www.editionsduseuil.fr

Les personnages de ce livre sont des êtres de fiction comme nous tous. Toute ressemblance, même fortuite, avec les vivants, les morts et les morts vivants, est donc réelle.

I

On peut les voir maintenant. On peut les voir marcher à travers les trouées fléchées dans le paysage pour guider les derniers dérivants que la forêt recrache. Par petites échappées. On peut les voir arriver jusqu'à la ligne de démarcation, entrer dans la Zone neutre. Entre un panneau marqué CHECKPOINT et un autre panneau marqué CHECKPOINT, on entend le crachin des mégaphones.

– Laissez passer quelques jours/Laissez passer quelques jours/Il faut laisser passer quelques jours.

Il faut imaginer les regards mal fagotés par un affolement contenu. Une résignation aux aguets trempée depuis longtemps dans les épreuves de marche qui ont mené la plupart jusqu'ici. Pour la première fois depuis dix ans.

Il faut imaginer la ligne de démarcation, la Zone neutre, les points de contrôle, la foule vivante sortie de longues forêts, des files d'hommes pourrissant sur pied, parlant une langue qui coule mollement comme lave, morve, salive et sueur, une langue dans laquelle on finira par comprendre que l'odeur des forêts n'est plus celle des arbres.

On finit par apprendre qu'une odeur montant depuis quelque source bubonique de la terre (dont la couleur a tourné peu à peu à la peau bouillie) avait avalé celle de la feuille verte, de l'herbe séchée et de l'humus. Une odeur qui n'est d'aucune bête, qu'ils ne savent nommer qu'en crachant.

– Cette odeur.

Il faut imaginer l'agrégat vaguement sage d'hommes et de bêtes traquant avec avidité quelque chose encore dans le regard des soldats : les Forces de l'Internationale Neutre en stationnement dans la zone. Les Forces de la Protection, comme on aurait dit de la Providence, veillant sur la ligne de démarcation qui a scindé la ville de Gloria Grande pendant dix ans.

Dix ans mécaniquement. Aussi mécaniquement qu'on a assemblé ces briques de murs, aussi mécaniquement qu'on a tissé les cercles concentriques des hauts barbelés entre Nord Gloria et Sud Gloria.

Le mégaphone relayant un autre mégaphone, d'une file à une autre file «Laissez passer quelques jours / Il faut laisser passer quelques jours», d'un barrage filtrant à un autre barrage filtrant où il s'agit de s'inscrire sur des listes autorisant à passer sur d'autres listes, de signer des fiches en couleurs prenant en considération les conditions et les raisons de votre passage à Sud Gloria, une couleur pour les conditions, une autre pour les raisons, une autre, vert gombo, pour l'examen de quatorze points de déclaration sur vos activités antérieures dans la rubrique des Antécédents.

Pour la plupart, c'est «Débrouille» le seul mot qui reste. Barrez les mentions inutiles. Depuis dix ans, c'est : Débrouille / Débrouille / Débrouille.

Le mot qui reste pour remplir les Antécédents d'un formulaire de l'Administration-tampon entre Nord Gloria et Sud Gloria, sous la protection des soldats de l'Internationale Neutre : Sud-Africains, Malais, Pakistanais et Belges qui veillent désormais à ne plus être malmenés, comme ce fut le cas il n'y a pas longtemps, par des hommes invisibles venus de nulle part, à coups de mitraille venue de toutes parts. Les nouvelles dans les journaux disent Paix et Célébrations, mais depuis cette attaque incompréhensible dans la zone tampon, le visage des soldats a tourné opaque, un bouclier de gravité, comme s'ils avaient eu la primeur d'un secret, un mauvais augure que la crampe du tireur posté entre guerre et paix leur avait fait capter. Comme la position d'un mourant entre ici et l'au-delà lui faisait accéder, selon certaines traditions, à des mystères prophétiques.

Sud-Africains, Malais, Pakistanais et Belges qu'il faut voir à présent pratiquer le pas de course, le pas de charge, le pas suspendu dans le périmètre protégé. Des simulacres de bonne santé à quoi font penser ces manœuvres militaires à vide. On aurait dit quelque joute gymnique de lointaines tribus, dont la règle veut qu'on épuise ses forces dans des mimiques d'intimidation.

« Il faut laisser passer quelques jours. » Le mégaphone relayant un autre mégaphone, d'une langue à une autre langue.

Quelqu'un dans une file proche lance une plaisanterie sur le sauf-conduit que tout le monde attend pour passer à Sud Gloria, et qui ne s'appelle pas pour rien un laissez-passer. Le rire. Longtemps après. Un de ces clapotis humides et chiches de corps en panne, aussitôt écrasé par le vent qui menace à grands bruits la toile de quelques tentes ici et là.

Dernier barrage filtrant. On a vu l'homme s'affaisser comme un mur, non pas tomber comme on perd pied, mais comme un glissement de terrain fait chuter un mur.

Le sourire de l'agent en uniforme local, qui n'avait pas fini de lui tendre le laissez-passer, s'est définitivement froissé. Le regard perdu dans le lointain, abîmé par un rictus offensé. Comme si l'homme pour qui le sourire, le laissez-passer et le geste de bienvenue avaient été soigneusement préparés, plutôt que de chuter, s'était éloigné brusquement vers quelque horizon. Le regard de l'agent lancé à sa poursuite, semblant ignorer qu'il gît là, entre mes pieds et les pieds de la table en bambou.

On voit un soldat en short, probablement un éducateur du contingent belge – masque de sévérité hérissé –, un peu à l'écart sur un promontoire, immobile lui aussi, mais d'une immobilité qu'on aurait dit féline, attentive et flottante.

Il fixe l'agent froncé et figé dans son uniforme local.

On entend l'homme à terre. On pourrait croire qu'il ne respire plus. Mais il y a ce son : un lointain sifflement, un chuintement têtu de la vie qui hante encore, un son minéral montant depuis on ne sait quelle écorce de la pâte du corps tassé à terre, entre mes pieds et les pieds de la table en bambou, cette respiration de gorge, semblable au morse que chante l'eau quand la chaleur du feu l'étouffe et la fait frémir, qui signale ce qui reste encore de forces à ce corps non pas pour respirer, à vrai dire, mais pour picorer l'air comme un poisson échoué.

– Ambulance, dit le soldat belge.

L'agent en uniforme local continue de se sculpter en mannequin kaki au bras tendu. Avec cet air empressé que conservent dans les yeux certains morts de champ de bataille.

– Ambulance, crie le soldat belge qu'on peut voir maintenant accroupi près du corps, en partie glissé sous la table en bambou.

Une mêlée de coups de klaxon. On entend les battements ratés d'un moteur, le bruit d'une moto dont l'approche est signalée par les grands cris du conducteur ATTENTION une voix ondulant le A comme un appel de muezzin pour s'épuiser dans l'éternuement du TION tandis qu'une casquette de jockey peinte d'une croix rouge fait son entrée, vissée sur la tête du conducteur de la moto ambulance – le pousse-douleur comme on appelle ici la moto ambulance, la bruyante chimère en ferraille que le motard ambulancier pousse vers l'avant ATTENTION LA DOULEUR PASSE ATTENTION LA DOULEUR PASSE ATTENTION le temps que passe la proue – grande roue et moteur de vélo solex –, le temps que passe la poupe, un chariot de fortune :

Une caisse de brouette sacrément arrangée, avec ses rajouts d'essieux, de roulements à billes, de chaînes et de sangles, encoconnée de coussins, la caisse de brouette qui rappelle ce cliché qui avait en son temps valu une récompense à son auteur, un artiste photographe de guerre : c'était durant les années qu'on appelle encore, pour aller vite, les années débrouille. C'était les premières débandades, il y a longtemps, dix ans, une vie ou deux, on se souvient : le cliché : on voit une personne morte de fatigue ou un corps rendu inapte à la longue marche par un trop grand vieillissement ou une trop grande jeunesse, quelqu'un qu'on transporte dans une brouette déjà encombrée – cartons, cuvettes, basse-cour en paquets pendouillant sur les flancs. On voit le visage éclairé par une lampe de brousse : boîte de tomate évidée, tuyau de bambou avec l'assortiment de cotonnade tressé en mèche, et la lumière de la flamme non pas éclairant, mais comme jetant un gros gras rouge sur le visage, et quels que soient les recadrages disponibles plus tard sur le marché des cartes postales, on peut lire sur la boîte de tomate SALSA DI POMODORO / MADE IN ITALY

On voit les mains accrochées à la boîte de la lampe de brousse, comme détachées du corps, le corps lui-même se confondant avec l'inertie des ballots et des volatiles qui signalent encore leur présence dans un vague alignement de plumes parmi les étoffes.

Les nouvelles disent Paix et Célébrations, et les hommes se raccommodent, et les choses s'accommodent, et on accommode le vélo solex avec l'antique brouette.

– Ambulance, crie le soldat belge, sans lâcher du regard l'agent en uniforme local suspendu au laissez-passer, un carnet orange et bleu pétrole, ouvert à la page où le cachet de reconnaissance faisant foi d'un

18

rouge officiel s'accroche convenablement au gros plan de la tête sur la photo.

Il faut imaginer qu'il veille sur la bonne mesure de l'angle que compose le poignet avec l'avant-bras lorsque le document est correctement tenu et tendu de façon réglementaire.

L'homme a été casé dans la cage de la moto ambulance. Son ronflement est devenu presque paisible. On aurait dit un dernier effort discret pour minimiser aux yeux de l'assistance ce qu'il pourrait y avoir d'inquiétant à se retrouver ainsi, en situation d'être traîné publiquement pour son bien, bretelles et chaussettes pareillement traînées. Juste au moment de franchir la ligne.

Le pousse-douleur à chaque cahot contre les cailloux, à chaque bousculade du vent, menaçant de décoller avec ses roues entortillées, semblable peut-être alors à ce véhicule improbable dont Ézéchiel, le prophète biblique, eut la vision : un chariot couvert de rouages bondissant dans les airs et dans lequel – Malheur! Malheur! –, il dit qu'il vit le Dieu halluciné d'Israël s'éloigner de Jérusalem, laissant sur son passage des présages de fléaux et de plaies en grand nombre ATTENTION LA DOULEUR PASSE ATTENTION LA DOULEUR

Pour l'instant, je suis le suivant dans la file. J'ai regardé l'agent en uniforme local : la main morte, le document qu'il n'a pas lâché, l'arthrose des doigts qui prend racine dans le rouge du tampon.

Le soldat belge s'approche et parle à l'agent avec la sévérité magnanime et la concision de ton d'un coach qui relance dans le coin du ring le boxeur sonné.

– On peut demander si Monsieur.

(Un temps. Le soldat belge me regarde – « si Monsieur » –, le soldat belge brusquant du plat de la main le boxeur sonné dont les yeux fixent des paysages désolés qu'il est seul à traverser, les doigts soudain parcourus de légères secousses.)

– Et on arrête de trembler comme une feuille de vigne quand on raconte partout qu'on a fait la guerre.

– J'ai fait la guerre, c'est vrai.

(Le soldat belge à nouveau le brusquant.)

– On peut demander si Monsieur qui est le suivant est de la famille sinon on peut demander dans le mégaphone qui est de la famille sinon on peut aussi ranger le document à suivre.

À nouveau, l'agent en uniforme local, on l'entend dire :

– J'ai fait la guerre, c'est vrai.

– C'est vrai, c'est vrai, vous avez tous fait la guerre ici, c'est vrai.

L'agent a rangé le document. La main libérée lisse frénétiquement le col de l'uniforme. Un costume généreusement offert à des hommes revenus de basses besognes dans le maquis : hier encore coupeurs de routes et de gorges avec des besaces de chasseurs de têtes accrochées au cou, jusqu'à ce que la paix et la faim les ramènent des broussailles pour qu'ils acceptent d'échanger leurs quincailleries et leurs accoutrements d'épouvantail contre la promesse d'être amnistiés, repêchés, intégrés dans le même uniforme local, dans le même creuset au Nouveau Camp unifié qui porte le nom de Mandela, pour leur apprendre, avec le soutien des instructeurs belges, à devenir « soldats de bonne volonté », « gardiens de la politesse », aptes à tendre le sauf-conduit avec le sourire, « soldats de proximité » sachant patrouiller avec le Bonjour, le Bonsoir, Comment ça va le quartier.

Il faut imaginer leur fierté quand ils arrivent le matin pour recevoir les instructions : la colonne impeccable en uniforme local, l'instructeur belge prodiguant des soins pédagogiques, rectifiant la tenue des fusils, et le garde-à-vous, mettant en scène la situation simulée de patrouille de proximité :

– J'ai dit au repos, le fusil, au repos, je n'ai pas dit aux aguets dans les bananiers. Et on apprend vite le Bonjour, le sourire, Comment ça va le quartier. Nous sommes là pour vous aider à demeurer libres.

Le chœur d'anciens coupeurs de routes et de gorges à l'unisson :

– Bonjour, comment ça va le quartier ? Nous sommes là pour vous aider à demeurer...

– Affable, affable, j'ai dit quoi ?

Le chœur d'anciens coupeurs de routes et de gorges à l'unisson :

– Affable, chef !

– J'ai dit quoi ?

– Affable, chef !

– L'autre, il va croire que tu vas lui crever sa poule avec ta baïonnette, là. J'ai dit quoi ?

Le chœur d'anciens coupeurs de routes et de gorges à l'unisson :

– Affable, chef !

La bande d'anciens chasseurs de têtes et coupeurs d'organes imitant bravement le sourire du coach belge, imitant le sourire comme il faut pour demander les papiers et les rendre, comme le veut la coutume dans les sociétés libres qu'on appelait autrefois civilisées.

Désormais, quand la glace est dure à briser, éviter le coup de crosse et préférer l'efficacité du proverbe autochtone qui fait dépannage pour dérider l'ambiance. L'instructeur belge sortant la sagesse africaine de son *Guide des sagesses du monde*, éditions Marabout: «On peut critiquer la morsure du chien, mais on ne peut rien contre la blancheur de ses crocs.» On répète. Encore une fois. Encore une fois.

– Et on n'oublie pas qu'un fusil, quand on l'a en main, on peut tuer, c'est compris? On a compris?

Toute la colonne répète, mordant un fou rire avec vaillance, et répète qu'un fusil, quand on l'a en main, on peut tuer.

– Mais qui vous a appris à tenir un fusil comme une sarbacane? Les mercenaires croates?

L'instructeur belge qui sort alarmé des lieux de la scène, prétextant la mauvaise tenue générale des armes, rendu amer, parti s'enfermer quelque part dans son appartement-bureau, occupé à écrire des rapports, couché sur un lit de camp, et à parcourir les titres de la presse nationale, à défaut de pouvoir lire les journaux flamands, cherchant en vain dans les lignes de la rubrique «Monde» quelques mots sur la situation de Bruxelles dans la crise belge.

Dans son édition du week-end *Le Moment présent*, grand quotidien national bilingue, déroule sur une double page, légende à l'appui de l'image, image à l'appui de la légende, la chronique intitulée : les « Actes de la reconstruction ».

Où l'on voit de gros plans de cuves et de tubulures, une mécanique dentée échappée d'une grande roue tournoyante, et la légende dit : « Les usines nouvelles sont pourvues d'installations perfectionnées pour l'alimentation en charbon. »

La légende dit « Attention école », et l'on voit surgir quatre murs de parpaing sans plafond ni toit, avec des enfants dedans, au garde-à-vous face au tableau recouvert du nouveau drapeau, le drapeau unifié, et fixant sur le mur des fresques inachevées, la nuque raide, figés dans la contemplation ou dans la discipline, photographiés lors d'une de ces cérémonies de magie noire qu'on appelle commémoration – où les morts n'en finissent pas d'enterrer leurs morts, où les descendants de

victimes s'en vont apprendre, de génération en génération, quelque chose sur les armes qui auront blessé
leurs ancêtres, jusqu'à la génération qui apprendra à
manier à son tour les mêmes armes, dans le sens de la
rétribution, avec le même art de désigner l'ennemi, avec
la même nostalgie d'un pur commencement.

Et on aurait dit, devant le réalisme de ces images d'af-
frontements peintes sur les murs embryonnaires d'une
école de sous-quartier, que ce n'était ni les Traités ni les
Accords, cette subtile mécanique des alliances et des
pactes noués dans la langue de bluff des chancelleries,
qui avaient mis fin à la guerre. Mais l'amoncellement
de corps humides, toutes sécrétions crachées. Comme
on contient un feu avec divers matériaux mouillés.

On voit M. Jintao, chef des ingénieurs chinois, écraser
d'une large main victorieuse les plans d'un barrage. Et
la légende traduit le sourire multiple de M. Jintao:
«L'eau afflue dans les turbines et la lumière inonde les
hommes.»

Les Actes de la reconstruction: une appellation qui ne
manque pas de couvrir d'une aura mythologique le
moindre chantier de latrines publiques.

Dans l'édition du week-end du *Moment présent*, on
peut lire la chronique illustrée de l'arrivée à Gloria
Sud des exilés au long cours, que le journal appelle les
«déplacés de longue date». Un retour triomphalement
salué par des photographes de presse au moment où
l'on atteint le dernier point de passage, l'épais mur
blanc sur lequel le mot CHECKPOINT a été barré et rem-

27

placé par l'inscription BIENVENUE. Où l'on est invité à agiter les mains pendant la pose, collé contre le mur blanc, les mains qui partent alors, au moment du clic et du sourire, un, deux, trois, les mains qui partent à la cueillette des lettres BIENVENUE semées au-dessus des têtes, où un polisson avait rajouté AUX REVENANTS.

BIENVENUE AUX REVENANTS

C'est ainsi que le peuple des quartiers appelle ceux qui franchissent la ligne pour la première fois depuis long-temps, dix ans, une vie ou deux, mille vies ou deux. Je suis là. Je suis là. Je suis là. Je suis là, se dit le revenant. Comme on parle à un enfant inquiet.

Bienvenue aux revenants dans les Actes de la recons-truction.

Et le revenant ainsi accueilli après la durée et la dureté des formalités pince son costume. Pour rire.

Il faut imaginer autrefois, au bout de cette rue, les échoppes de ceux qui font profession de guérir, leurs boutiques à médicaments où étaient étalés des flacons de couleurs, de la poudre safran, des boulettes émeraude de feuilles mâchées par de vieilles dents, des racines rendant leur jus de vieillesse, des chapelets de crânes d'oiseaux, des chapelets de plumes, des chapelets de perles de Venise, des statuettes de fertilité, des huiles parfumées au suc de vierge et à la maniguette, des bagues pour faire baisser la fièvre, des graines spongieuses pour lesquelles quelqu'un a dû livrer bataille avec des épineux, très chères, des pattes desséchées et poilues d'animaux, des ossements rares, certains disent humains, des dents de requin, certains disent humaines.

Et devant les échoppes, l'encombrement d'enseignes – Le Mage Kalikula : Voyance les yeux dans les yeux, spécialiste du Mal noir, grand guérisseur de la folie sans douleur et chercheur en sens de la vie. Madame Alouwassio : Travaux d'amours occultes, diplôme de psychologie naturelle et parallèle, spécialiste des fugues.

Professeur Miracle – Docteur pour dames : Règles dou-
loureuses et stérilité. El Hadj Kamara : Syphilis, cho-
léra, chaude-pisse, spécialiste des maladies inconnues.
Des enseignes représentant, avec un réalisme volonta-
riste, des accroupissements diarrhéiques, des giclées de
sang sortant de méats venteux, le visage du malade dis-
paraissant dans les plissements et les sillons creusés
par le pinceau, mise en image mélodramatique d'une
certaine échelle, innommable, de la douleur.

On voit à présent la rare échoppe d'une coiffeuse
réduite à l'enseigne et au tabouret posé sur le trottoir,
et sur lequel un jeune homme assis se fait lisser les
cheveux, la coiffeuse debout derrière lui, appliquée à
masser le crâne, nuque contre nombril, les doigts de la
coiffeuse pressant de petites touffes de poils mouillés,
d'une main séparant les touffes, de l'autre les pressant
et les entortillant, puis les défrisant, nombril et nuque
se séparant, se rejoignant à nouveau.

La maison a survécu. Avec sa madone accrochée au
portail tenant dans les bras un Jésus sanglant, à moitié
nu avec deux petits trous dans les mains et un grand
trou au poitrail, symbole d'une famille où l'on élève les
enfants dans une tradition qui prône le respect et la
crainte dus à une nébuleuse d'Aînés, au culte d'Autorités ancestrales, le tout renforcé par la pesanteur d'une
foi catholique dont l'origine remonte aux premiers
chrétiens africains.

On sait que bon nombre s'étaient fait baptiser quand
l'administration coloniale avait décidé de dispenser les

nouveaux convertis de travaux forcés, pour lesquels on procédait à des enrôlements et à des enlèvements. Comme cela se produit naturellement lorsque la jeunesse valide d'une population assiégée est sévèrement invitée à alimenter de sa sueur l'entreprise conquérante du vainqueur. Et si les missionnaires catholiques n'étaient pas dupes des conversions de complaisance que provoquait cet arrangement avec l'administration, ils comptaient sur la répétition des rites, la mécanique des récitations massives et l'intensification de l'hostie-mania pour produire chez ces peuples païens, avec le temps, la seconde nature d'un christianisme automatique.

Je reconnais la pancarte ATTENTION CHIEN MÉCHANT accrochée au portail sous la madone, avec le dessin d'un berger allemand, gueule ouverte, rémanence d'un manuel de sciences naturelles datant de la coloniale ou trace récente d'un feuilleton de la télévision américaine, le berger allemand que les peintres de rue popularisent en série, en même temps que la Madone à l'enfant ou les paysages vaudou façon Douanier Rousseau.

Même si l'on n'a jamais aperçu l'ombre d'un berger allemand par ici, cette maison autrefois, il faut imaginer, était remuée par des chiens. Je ne sais pas ce que les chiens sont devenus.

Une inconnue est sortie de la maison.

– Vous cherchez M. Anka?

– Qui est M. Anka?

– Vous ne cherchez pas M. Anka et vous êtes debout devant sa maison. Vous êtes un voleur?

– Qui est M. Anka ?

C'est là je crois que j'ai pleuré sans m'arrêter et sans m'arrêter de la regarder. Je ne sais plus me tenir, j'ai l'impression d'avoir perdu toute raison d'être là, l'impression de me perdre de vue moi-même : d'être sur une barque qui s'éloigne de la rive et d'être en même temps l'homme debout sur la rive qui regarde la barque s'éloigner, d'être le même homme sur le point de disparaître brusquement des deux côtés de l'horizon.

– Vous avez besoin d'aide ?

Elle est partie dans la maison en courant. Elle est revenue avec un tabouret, deux enfants aux yeux ronds, un jeune homme, une vieille dame avec un gobelet.

– De l'eau.

Et je me suis retrouvé assis, à dire que c'est peut-être la maladie, peut-être les insectes qui donnent cette fièvre de mauvais alcool.

– C'est vrai que les insectes sont de retour.

Encore de l'eau. Dans la bouche le goût fumé de l'eau qu'on ne boit plus sans la bouillir. Quelqu'un est allé chercher M. Anka.

– Je cherche Asafo Johnson.

M. Anka est arrivé. M'a fait entrer dans la cour. Je reconnais la cour, je reconnais le manguier. Cette maison autrefois était grouillante de chiens. Et, sans leur présence sonore, quelque chose me manque pour croire entièrement à la réalité de ce que mes yeux s'obstinent à reconnaître : la terrasse, l'acacia, les fenêtres de la chambre au premier étage où je venais autrefois, où j'avais souvent dormi. Il se pourrait bien, se dit le revenant, si je me retournais soudain, que tout ce leurre s'efface comme crève l'enveloppe d'une image. Et ça ne me prendrait qu'une fraction de seconde pour atteindre le réveil et me retrouver à Nord Gloria que je n'aurais peut-être jamais quittée.

Je suis perdu dans une scène dont je crois reconnaître le décor, mais pas les répliques.

– Je cherche Asafo Johnson.

– Encore de l'eau? C'est vrai que les insectes sont de retour, dit M. Anka.

Je me sens comme ce chasseur dont Petite Tante me racontait l'histoire quand j'étais enfant :

« Un homme partit à la chasse un matin. Il ne prit rien de la journée. Le soir venu, il vit un oiseau sur une branche. Il banda son arc, visa l'oiseau, mais son geste fut interrompu par le chant de l'oiseau, un chant si beau qu'il resta cloué à l'écouter. La durée de la scène égale une minute et quelques secondes. Puis l'oiseau s'envola et le chasseur eut l'impression de se réveiller d'un très long rêve.

Ensuite il rentra chez lui et ne reconnut pas son quartier là où il y avait son quartier, ne reconnut pas sa maison là où il y avait sa maison, ne reconnut personne là où il y avait sa famille, courut vers ses amis, ne reconnut ni leurs maisons ni leurs champs, ni leurs animaux fidèles.

Et personne pour le reconnaître. On le regardait partout comme on regarde un homme de passage. On le conduisit chez le chef. Il se disait que le chef au moins le reconnaîtrait. Il était l'homme que le chef consultait, la veille encore, pour sa connaissance des pistes et son intelligence du territoire.

Mais le chasseur ne reconnut ni le protocole, ni le trône, ni le chef, ni son nom, ni son entourage, et le chef ne le reconnut pas.

On lui fit répéter son nom et on fouilla dans la mémoire des lignages. Un vieillard se souvint alors d'un récit qu'il tenait de son père qui le tenait de son propre père qui avait connu le chasseur qui répondait à ce nom et à cette description, et qui était parti un matin en forêt et n'était plus jamais revenu.

"Où est passé le temps?" se dit le chasseur. »

– Où est passé le temps? se dit le revenant.

– Quelle heure est-il? dit la vieille dame.

Comme si elle avait lu dans ma pensée, se dit le revenant.

M. Anka me fait patienter pendant que l'eau bouillie refroidit. Me sert. M'apprend qu'il a acheté cette maison, il y a quelques mois, à la famille Johnson. Le père et la mère ont décidé de rester en terre d'exil.

– C'est le fils de la maison que vous cherchez.

– Asafo Johnson.

– Il a récupéré ses dernières affaires, il n'y a pas longtemps.

– Trois mois, dit la vieille dame.

– Il a quitté le pays? Il a rejoint ses parents?

– Non. Je crois qu'il n'a pas l'intention de quitter le

pays. Vous savez, les temps changent. C'est le moment d'entreprendre. Ce n'est pas le moment de partir. C'est ce qu'il a dit. C'est ce que moi-même, je dis tous les jours à la radio. 95.3, vous écoutez?

– Je viens d'arriver.

– 95.3, vous n'oublierez pas.

II

*Il serait bien extraordinaire que des milliers
d'événements qui surviennent chaque année
résultât une harmonie parfaite. Il y en a toujours qui ne passent pas, et qu'on garde en soi,
blessants. Une des choses à faire : l'exorcisme.
Cet élan en flèche, fougueux et comme supra-
humain de l'exorcisme. Tenir en échec les puissances environnantes du monde hostile.*

HENRI MICHAUX, *Épreuves, exorcismes,
1940-1944*

Hôtel Petit Pays : la bâtisse, le style néo-colonial, les couloirs interminables ornés de têtes couronnées et de poitrines gonflées par la prothèse des décorations, semblant veiller sur la gloire définitivement lessivée de l'établissement qui compta parmi ses clients, en un temps bien lointain, des grands reporters, des télé-philosophes, des champions du sport, des académiciens, mais surtout de Hautes Bienveillances qui arrivaient du monde entier : des majestés, des consuls, des pro-consuls, des seigneurs, des cheiks, des sénateurs à vie qui venaient ici chasser le gibier et s'entretenir officieusement des affaires publiques. Un temps où des héli-coptères transportaient jusqu'aux territoires de chasse des Sommités aux noms exotiques venus de France ou d'Arabie pour tirer sur des animaux rabattus depuis les nuages, à travers les arbres fumant de soleil, pour tirer par-dessus nos têtes avant de s'en retourner à leurs Trônes, Couronnes et Dominions, avec le genre de tro-phée que méritent les Hiérarchies venues honorer la beauté giboyeuse de notre végétation.

(Et je me souviens du vrombissement des hélicoptères au-dessus de nos têtes d'enfants rendus turbulents
dans la salle de classe, soudain inapaisés, les enfants se
précipitant dans la cour, énervés comme des chauves-
souris par les hélicoptères transportant de Hautes
Bienveillances, majestés, consuls, proconsuls, seigneurs,
cheiks, sénateurs à vie, dans la position du tireur à
lunettes accroché comme un acteur américain au flanc
de l'hélicoptère et tirant dans la flore.)

– Merde.

Merde, se dit le revenant en regardant trembler la
bouteille d'alcool que sa main a manqué de renverser.

Quelqu'un a frappé à la porte.

Non pas gratté, comme font les petites revendeuses
d'amour, mais cogné sans malice.

– Frère ami.

Le bourdon de la voix.

– Frère ami.

Moi, stabilisant enfin la bouteille, l'éloignant de la
porte, de l'affiche placardée où le nombril de Miss Togo
trace un mandala, me demandant si derrière chaque
porte dans cet hôtel, il y a la même photo de Miss Togo,
ou si de chambre en chambre on passe de Miss en Miss,
chacune portant entre deux seins les couleurs et l'honneur de quelque nation d'Afrique.

– Frère ami.

Moi, me souvenant d'une année où, il y a longtemps,
une vie ou deux, mille vies ou deux, à l'occasion d'une
Coupe d'Afrique de football, on avait baptisé les salles

de classe à Gloria Grande avec les noms des pays participants, me souvenant de notre classe qui avait la réputation d'«une classe où les cancres font la loi» et qui avait hérité du nom du Togo.

Le bourdon de la voix à travers la porte faisant trembler le ventre de Miss Togo.

– Frère ami.

Maïs. Il s'appelle Maïs. Seize-dix-sept ans. M'appelle Frère ami depuis que je suis là.

Il ne faut pas l'écouter. M'en aurait vendu des lots, si je l'avais écouté : lots de médicaments, lots de talismans porte-clés, lots de logiciels piratés en Inde, lot de quatre roues pour la moitié du prix d'une.

– Frère ami.

Il ne faut pas l'écouter.

– C'est quoi tes besoins? C'est quoi tes besoins? J'écoute les besoins, frère ami. C'est un don de naissance.

Le bourdon de la voix à travers la porte.

– Tes besoins, c'est mon rayon. Y a pas gri-gri. Je jure sur ma personne, c'est un don de naissance, laisse-moi te dire. Laisse-moi entrer.

M'avait déjà dit que son vrai nom n'était pas Maïs mais Gavroche, son nom de maquis, voilà son vrai nom. M'avait déjà conté la moitié de sa vie de rebelle passée sous les ordres d'autres rebelles. D'Abominables Aînés qui s'appelaient Commandants, qui se retranchaient dans la fainéantise de leur soûlerie d'où ils transpiraient de contraintes, de règles, d'ordres, de démence, de scénarios d'humiliation sophistiqués qu'ils ordonnaient depuis les entrailles de leur Q.G. Maïs dit: «depuis leur Q et leur point G». On le voit dire ça de belle manière, avec des gestes de morpion fâché. Un reportage dont il m'avait déjà montré la vidéo. On le voit jouer à champ/contre-champ avec un journaliste qui lui demande dans la foulée de raconter la première fois.

«La première fois, Gavroche», et on pourrait croire, à lire l'excitation dans le regard de l'interviewer qu'il parlait d'une expérience sexuelle, «la première fois, comment on se sent quand on tue quelqu'un pour la première fois?».

La caméra montre le visage du grand reporter pendant qu'on entend Maïs répéter la question comme s'il l'avait mal retenue : « Tu veux savoir comment ?
– Comment on se sent.
– Comment ?
– C'est-à-dire... je veux que tu me donnes tes sentiments.
– Je suis rentré au camp avec les autres combattants.
– Les sentiments que tu avais.
– J'ai disparu dans le sommeil », dit la voix de Maïs. Et pendant que la caméra serre au plus près les yeux du grand reporter baignant dans une archétypale commisération, la voix continue : « Je me suis réveillé, quelqu'un m'a dit Bonjour, comment ça va ? J'ai répondu : Ça va bien, merci. Et je n'ai pas reconnu la voix qui est sortie de ma gorge. Ma voix ne m'appartenait plus, voilà l'expérience. Voilà mes sentiments. Je jure sur ma personne, on ne reconnaît plus sa voix. Pendant quelques semaines pour certains. Des années pour d'autres. Pour moi, ça dure encore. La voix qui te parle n'est à personne. »

Ancien combattant de dix-sept ans, récompensé par une carte lui donnant gratuitement droit aux places réservées dans les bus, il avait décidé de ne pas rejoindre les gentils soldats, comme il appelle les agents en uniforme local du Camp Mandela où, en guise d'entraînement, on passe son temps à jouer au football, un sport qu'il exècre parce qu'il déteste qu'on lui tire le maillot.

Et puis il n'aimait pas cet uniforme, à mi-chemin entre la combinaison d'aviateur et la salopette de mécanicien, qu'on reçoit comme un cadeau de baptême en échange de sa bonne volonté. Il n'aime pas l'idée d'un endroit où l'on ne peut pas choisir ses fringues. Je lui donne raison. Il dit qu'il n'a pas assez de convictions pour ça. Je dis d'accord, aucune conviction ne mérite qu'il sacrifie le beau débardeur qui lui enserre le torse, de zébrures blanches et noires comme des anneaux.

Il dit :

– Je n'ai pas la conscience tranquille, j'ai l'esprit embrouillé, mais j'ai le cœur pur.

Il est présent dans le lit. Assis. L'avant-bras portant de larges lettres incisées dans la peau NO SATISFACTION, et lorsqu'il a levé la main pour la poser sur la bouteille d'alcool, le miroir a renvoyé l'image de l'intérieur de l'avant-bras, avec à l'envers l'inscription NO FUTURE.

M'avait déjà tout appris sur ses qualités : agent de change express, interprète et crieur public pour une association caritative, réparateur ambulant qu'on appelle ici homme-outil, « petite main » pour un négociant chargé de faire pour les marins des emplettes allant du tissu wax à la poupée gonflable bon marché. Il dit qu'il est capable, pourvu qu'on lui donne un Famas, et il épelle FAMAS, j'entends mal tout ça, il dit « Fusil d'Assaut de la Manufacture d'Armes de Saint-Étienne », il dit qu'il est capable de loger une balle entre les deux yeux d'un nain sur une distance de cent mètres ou de six cents mètres, je ne sais plus, j'entends mal tout ça, et il dit avec quelle discrétion il sait se montrer personne élégante, à toute épreuve.

Il énumère les mêmes noms de filles qu'il m'avait déjà énumérés la veille et l'avant-veille, des filles qui avaient toutes en commun d'avoir des noms d'artiste qui se terminent par *a* – Fiona, Malfada, Gabriella, Julia, Vicencia, Adoua –, et d'être des actrices de vidéos pornographiques « interactives » piratées au Nigeria.

– Tu as tort de ne pas compter ça parmi tes besoins.

Il éventre un sachet marqué Démonstration et libère une brochure intitulée : « Le Grand Interprète des rêves érotiques », offerte en bonus pour l'achat de trois vidéos dans le catalogue dont il me donne la récitation pour la millième fois : Anal garanti / gros seins garantis / interracial garanti / rondes garanties / femmes mûres garanties par l'appellation contrôlée MILF *(Mothers I'd Love to Fuck)* / éjac faciales garanties / morceau de bravoure garanti : « la figure de la double, triple pénétration, qui n'a rien à envier à certains exploits de bagnards ou de galériens, la prouesse technique et la beauté du geste qui font de ces aimables copulateurs d'authentiques cascadeurs, des athlètes de classe olympique », dit la présentation du catalogue, accompagnée de l'Avertissement qui prévient que le contenu de ces vidéogrammes (y compris la bande-son), attention, est exclusivement réservé à un usage privé et gratuit dans le cercle familial.

En d'autres temps, il n'y a pas si longtemps, les images en circulation étaient celles de la masse tueuse en liesse dans les rues, sur les places, tous âges, tous sexes confondus, jusque dans les églises où le sacrifice a quitté le théâtre des symboles pour faire irruption dans la comédie humaine, où l'on immolait des gens sur les prie-Dieu. Des vidéos amateurs étaient vendues aux journaux télévisés du monde entier. Des images où la chair vivante ne s'agrippait à la chair vivante que pour la réduire et la vider, la bande-son laissant échapper, aussi étrange que ça paraisse, une frénésie de coït et de rut. Aujourd'hui, on s'arrache les images de Fiona, Malfada, Gabriella, Julia, Vicencia, Adoua, pour regarder, en réunion, des corps-à-corps d'une autre nature, des adhésions parfaites de la chair à la chair se touchant sans se blesser, dans une verdure un peu Hollywood, un peu chewing-gum, ces images qui évoquent une communion directe du toucher sans malentendu. Et aussi bizarre que ça paraisse, à moins que ça ne soit que trop limpide, il faut imaginer que Fiona, Malfada, Gabriella, Julia, Vicencia, Adoua sont certainement d'un grand secours, pour la purification du regard et de l'intelligence corporelle. Après ce qui s'est passé.

– Que vas-tu faire de ton retour?

Mes oreilles ont mis longtemps avant de saisir la familiarité des syllabes. J'ai d'abord entendu des sons autonomes se confondre avec les bruits environnants. Des sons enveloppés d'une intimité brutale.

– Que vas-tu faire de ton retour?

– Quoi?

– Que vas-tu faire de ton retour? Tu n'oublies pas nous, nous sommes pays en guerre.

Je ne sais pas combien de fois j'ai déjà entendu cette phrase depuis que je suis là, se dit le revenant. « Tu n'oublies pas nous, nous sommes pays en guerre. »

Un rappel à l'ordre dans le bruitage unanime des journaux qui disent Paix et Célébrations, une défiance clandestine, un aparté inquiet dans la promesse de renaissance.

Les nouvelles dans la rumeur disent que le prix d'une grenade reste toujours aussi convenable que le prix de l'eau.

– Tu n'oublies pas nous, nous sommes pays en guerre ?
On pense à certains malades qui finissent par tant
identifier leur corps à la souffrance qu'ils paniquent
soudain à l'annonce d'une guérison possible, qu'ils
prennent peur à l'idée de perdre, en même temps que
la souffrance et la maladie, toute raison d'avoir un
corps, se dit le revenant.

C'est l'inquiétude du prisonnier libéré qui reste cloué
devant les grilles de la prison, le regard sur l'horizon
disant Maldonne, maldonne, maldonne : On lui avait
promis la liberté et offert le désert.

L'expression achevée de la chèvre à qui on a enfin
enlevé le licou, et qui reste là, immobile et tourne-
boulée, perdue, sans pattes, encore et toujours secouée
par la pression douloureuse d'une corde inexistante.

Une population sortie d'un long siège, mais dont l'esprit, lui, n'est jamais sorti de cette psychose collective
que provoque un état de siège durable, qui porte le nom
impénétrable de fièvre obsidionale.

– Tu n'oublies pas nous, nous sommes pays en guerre ?
Laisse-moi te dire minute... minute... Tu as besoin de
protection. Tu n'es pas là pour t'amuser, je sais, je sens,
je devine, je capte, je jure sur ma personne. Tu as
besoin de protection. Tu n'es pas là pour t'amuser.

– Tu vas me dire que tu es magicien ?

– Pas sur scène. Dans la vie. Je sais flairer ça. Y a pas
gri-gri, c'est un don de naissance, je sais flairer que tu
as besoin de protection. Laisse-moi te dire où trouver
des armes selon tes besoins. Sans blague. Tu n'oublies

pas. Selon tes besoins. Des armes à prix pacotille. Que vas-tu faire de ton retour ?

– Je recherche quelqu'un, dit le revenant. Je viens chercher quelqu'un.

– Ça, je sais.

– Comment tu sais ?

– Y a pas gri-gri. C'est un don de naissance.

Maïs promène le regard sur les pages Annonces que j'ai isolées des journaux et étalées sur le lit, et son doigt m'indique les cercles que j'ai tracés autour des carrés publicitaires de différentes agences privées promettant des « recherches sérieuses et fructueuses » de personnes dont on a perdu la trace.

Maïs dit que selon les langues qui courent dans la rumeur, ceux qui ont l'âme vidée de tout pardon possible, ceux à qui il ne reste dans le cœur que du souffre et dans la poche qu'un vieux procès-verbal froissé de quelque dépôt de plainte au long cours, il n'est pas rare que ceux-là s'adressent à des professionnels sachant combiner le flair de l'enquêteur et le sang-froid du tueur.

Si le Nouvel Ordre travaille, comme on le reconnaît, au renforcement collectif de la croyance dans le pardon et le repentir, cela ne suffit pas pour combattre la montée des actes de vengeance qui ne font pas grand bruit dans les journaux, ou qui sont vite maquillés en règlements de comptes entre voleurs.

Il arrive, dit Maïs, que les agences de recherche servent plus volontiers de couverture à des tueurs à gages qu'à réunir la veuve et l'orphelin séparés par la guerre.

L'homme de l'agence m'avait prévenu qu'il serait en retard. Cela fait deux heures que je l'attends au bar-restaurant de l'hôtel. À côté du téléphone retenu au mur par deux grosses chaînes cadenassées. Un jeune homme en habit de riche, basin mauve et dorures brodées, attend un appel en faisant crisser ses chaussures vernies autour de l'appareil, et en agitant à la pointe de ses doigts nickel le porte-clés frappé de l'emblème de l'hôtel : tête d'éléphant en bois dégrossi et plantée d'ivoires en plastique.

– Provisoire, dit le vieux barman en se précipitant vers de nouveaux clients, avec cet air d'hôtesse parfumée, solennelle, et coquettement contrariée de recevoir du beau linge dans un monde inachevé.

– Provisoire, répète le vieux barman, avec nos excuses.

Et il indique le panneau marqué BAR-RESTAURANT PROVISOIRE avant d'exposer les plans de travaux qui prévoient deux autres étages – il dit « salles supérieures » –, et une paillote géante avec enseigne lumineuse sur le toit de l'hôtel Petit Pays.

Le jeune homme en habit de riche a disparu.

La radio a explosé sans prévenir. On entend deux voix, une femelle et une mâle : « Bien dormir n'est pas un rêve impossible. Aucun autre lit n'est aussi reposant que le lit Delilo. » Les voix glissant sur le coussin feutré d'une musique des sphères, un disco spatial de Donna Summer truffé de geignements de corps célestes : « *Oooo love to love you* le lit Delilo *baby* matelas en latex naturel *aaaha* sur-matelas pure laine de mouton *Oooo love to love* l'impression typique du nid *baby* le lit Delilo sans composant métallique, produit chimique ou synthétique *Oooo love to love you* le lit Delilo *baby* est un lit naturel suisse *Oooooaaahaa* »

– Avec toutes nos excuses, lance à tue-tête le vieux barman depuis le fond du bar où il tente de baisser le son de la radio à grands bruits de bataille, pestant contre l'indiscipline du bouton Volume à travers le grillage où l'énorme poste est barricadé pour lutter contre la recrudescence des vols.

Au moment où le téléphone a sonné, le jeune homme en habit de riche a surgi de nulle part en courant, ses chaussures cirées à présent remplacées par une paire de tongs. Il a collé les dorures brodées de sa manche au combiné et on l'entend dire : « Ah, ce n'est pas Maman. Maman a préféré que ce soit toi qui me parles. Très bien. Ce n'est pas grave. Tu diras à Maman que j'ai dit que ce n'est pas grave. Il y a juste qu'on a découvert mes plants de cannabis. Donc je ne peux pas rentrer tout de suite. »

La voix du vieux barman s'élève à nouveau avec des excuses distinguées pendant qu'il se bat avec l'hypersensibilité du poste.

L'effort à faire pour se faire entendre à l'autre bout du fil fait suer le jeune homme en habit de riche. Et il parle à présent comme s'il faisait une dictée à un sourd : « Canne-A-Bis... Il faut que je, c'est ça... Il faut que je tourne le dos... Il faut que je tourne le dos un peu. Le temps... Le temps pour que la police se serve. Donc je ne peux pas... Tu diras à Maman. »

Il a reposé le téléphone et il s'est baissé, ou s'est plutôt cassé en deux, a arraché une de ses tongs et s'est mis à tabasser le téléphone, s'est retrouvé face à face avec le vieux barman qui a abandonné la radio pour accourir, et il lui dit :

– Où est-ce que je peux trouver une arme, monsieur ?

L'autre s'est mis à hurler :

– Les armes sont interdites ici, monsieur. Allez demander ça au quartier Lamentin.

Puis, oubliant la radio et le jeune homme, il repart vers un client dont la vue lui fait aussitôt retrouver cet air de dignité personnelle qu'ont les nouveaux convertis.

– Nos excuses pour le plat n° 4. De même que pour le n° 3. Et pour le n° 2 toutes nos excuses.

Le barman parlant avec de petits gestes et un murmure forcé, comme s'il servait de guide à des Lilliputiens déambulant dans les couloirs d'une maquette, raconte que, en plus des deux étages à venir et de la paillote géante, les tables seront recouvertes de tissus batik, au lieu de la jaunisse du vieux papier pissant le menu d'un autre temps.

Et il lisse la nappe de papier d'un geste écrasé, tout en expliquant cordialement les modalités de commande du plat n° 1 qui est la spécialité de la maison, une recette sud-africaine. Le plat préféré de Nelson Mandela. C'est un plat qui se commande vingt-quatre heures à l'avance pour le mardi et le samedi. Parfois le dimanche. Mais on est mercredi, hélas. Avec toutes nos excuses.

Et il recommande une jeune cantinière ambulante, il dit une vraie fille de maman pintade, qui devrait passer sans tarder avec des sandwiches aux œufs brouillés et piment, à l'approche des dix-neuf heures.

– 95.3. Il est vingt heures, dit la radio. Vous écoutez les informations.

Le barman sursaute et couvre d'injures la radio comme on couvre d'injures un perroquet à qui on n'a rien demandé.

– Elle arrivera. Si ce n'est pas à dix-neuf heures, c'est parfois vers vingt heures trente. Ça varie comme ça d'une heure ou deux si elle veut, d'une heure ou deux si Dieu veut.

Et avant qu'il s'en aille filer un coup de latte à la radio sur la touche étoile, on apprend que la modeste équipe de Chine a bravement souffert devant la glorieuse équipe de France, laquelle s'est, elle-même, majestueusement inclinée, 1 à 0, devant le miracle sénégalais. «Telle est la loi du sport, tel est son mystère», continue lℴ

commentateur avec le ton qu'il faut pour dire : Je crois
dans la justice de mon pays et dans le Saint-Esprit.

Les insectes disparaissent dans les plis et les tunnels
des journaux en vrac devant moi. Les insectes en vrille,
imitant les abeilles messagères qui tournoient et se
frottent dans leur parler, les insectes traduisant les uns
aux autres et commentant en multiples langues d'insectes les fragments de gros titres qui se chevauchent
dans le tas, un encadré où un *onirologue* promet pour
demain l'Auto-École par *instincto-pédagogie*, méthode
permettant d'apprendre à conduire en écoutant une cas-
sette dans son sommeil, et garantissant à n'importe qui,
au bout d'une semaine d'audition régulière, la capacité
de s'asseoir dans la première automobile venue et d'ac-
tionner instinctivement les manettes nécessaires à une
bonne conduite, et de respecter tout aussi instinctivement le code de la route.

Une présence dans mon dos. Une main sur mon épaule. L'homme que j'attends depuis trois heures. Un cliché de barbouze, façon petit gabarit bruyant.

– Je ne vous cache pas que je sais ce qu'on raconte sur notre profession.

– On sait tout ça.

(Il n'est pas rare, m'avait dit Maïs, que ceux qui n'ont plus rien à accorder à autrui, ceux qui n'ont pas le pardon facile parce qu'ils n'ont plus rien à s'accorder à eux-mêmes, surtout pas cette forme de rétribution neutre qu'on nomme pardonner, en échange de quoi on est crédité à ses propres yeux d'une grandeur d'âme, même pas la tentation de cette noblesse-là, ceux-là se tournent vers certaines de ces agences de recherche où l'on n'hésite pas, si besoin est, à combiner le flair de l'enquêteur avec le sang-froid du tueur, parfois aussi avec le sens de la mise en scène lorsque le commanditaire est pointilleux sur la forme, certains exigeant que la vengeance ressemble au crime : type d'arme, lésions, nombre de coups, nombre de balles.

Peut-être, se dit le revenant, que la vengeance n'est possible ou parfaite, ou efficace, que si l'on accepte de se perdre dans l'ombre du bourreau, imitant point par point ses rites meurtriers.)

– Fumée tout ça. Racontars et fumée de mes deux. En ce qui concerne l'Agence Fructueuse. Nous ne cherchons pas à savoir ce qui vous lie à la personne que vous recherchez. Secret professionnel. Mais nous prenons nos précautions. Je vous le dis. Nous, à l'Agence Fructueuse, nous prenons nos précautions. En tous les cas, acceptez-vous que la personne recherchée soit prévenue?

– C'est une vieille histoire d'amitié qui ne demande pas...

– Nous ne cherchons pas à savoir les liens. Il existe trois schémas, dans tous les cas. Et dans tous les cas, nous allons avoir besoin de votre accord signé. Ou la personne est prévenue de vos recherches sans être prévenue ni des raisons ni de votre identité, ou alors la personne est prévenue de vos recherches et est informée sur les raisons sans votre identité, ou alors la personne est prévenue de vos recherches avec transparence sur les raisons et l'identité du commanditaire. Et si vous demandez s'il existe un schéma où la personne n'est pas prévenue, je vous réponds selon la déontologie. Ça n'existe pas.

Un silence de quelques centièmes de seconde. Il dit:

– Sauf situation exceptionnelle.

– Exemple.

– Nous avons le temps d'examiner les situations exceptionnelles.

Il a voulu savoir à combien de bouteilles il en était. Il a réagi avec étonnement en recevant la réponse et il a commandé une autre bière.

J'ai fait signe au barman que l'agent de l'Agence Fructueuse est mon invité. De toute façon, il aurait trouvé normal de partir en me laissant payer, la croyance publique voulant que toute personne installée dans le Nord avant la guerre ait forcément profité de l'enrichissement de la zone par trafic d'armes, de médicaments, de viande sous cellophane, de cigarettes, d'organes, de domestiques des deux sexes, durant ces dernières années. Toute personne ayant une adresse solide dans le Nord et n'appartenant pas à la catégorie des «déplacés, réfugiés, mutilés» est donc riche, et comme telle a une dette illimitée à l'égard de ceux qui ont fièrement connu la guerre de ce côté-ci et qui répètent encore, récitent encore, dix fois par jour comme une prière: «Tu n'oublies pas nous, nous sommes pays en guerre. Tu n'oublies pas nous, nous sommes pays en guerre»: une phrase toujours confectionnée en français quel que soit l'interlocuteur, probablement parce qu'elle ciblait au départ les humanitaires français à qui on a commencé par faire

payer une bière, puis deux, puis trois... puis quatre...
Et la cible s'est élargie à des gens comme moi dont le
signe extérieur de richesse consiste à acheter des cigarettes par paquet et non à l'unité, à porter des jeans
artificiellement vieillis, déchirés par la mode et non
pas troués par l'usure du temps, de la poussière et des
ronces.

Une cible contre laquelle on ne manque pas l'occasion de jeter sa complainte, avec une arrogance pénible
à laquelle la pauvreté et la souffrance semblent désormais donner droit, et qui reste le dernier levier de l'es-
time de soi.

Pour nous qui avons échappé aux turpitudes de
l'effort de guerre, l'heure est venue de participer à l'effort de paix, c'est-à-dire d'accepter sans broncher une
solidarité à sens unique, qui a en commun avec le
racket qu'on n'a jamais fini de payer, et qu'on ne vous
rend pas la monnaie. Et je suis fatigué de veiller en permanence à ne pas me faire plumer, de refaire les calculs
sur les factures, de refuser de payer un verre et de subir
les regards.

J'ai commencé à calculer combien de temps mes économies tiendraient encore, combien de temps je subirais
les lois de ce bizutage à la frontière du « harcèlement
consenti » (un modèle de « comportement limite », pour
lequel le sociologue français François Copenhague a
inventé le terme de *friendly blackmail* dans un article
fraîchement paru dans *World Outlook*).

– Alors, heureux d'être là ? dit l'homme de l'Agence

Fructueuse qui n'a toujours pas dit son nom, la voix noyée par la bière. Alors heureux d'être là ?

Les nouvelles à la radio annoncent l'ouverture des espaces Boutique dans le Centre de la renaissance des arts où l'on se prépare à célébrer une journée contre la guerre, lors du premier Forum international des peuples autochtones unis qui donnera ici la parole à des représentants de peuples indigènes venus du monde entier : Haidas et Inuits du Canada, Zoulous, Xhosas et Akas d'Afrique, Akhas d'Asie et Dravidiens, Aborigènes d'Australie, Basques, Bretons et Catalans.

– Alors heureux d'être là ?

L'homme de l'Agence Fructueuse épluche d'un franc regard une paire de nymphettes haut perchées sur des tabourets au bar, genoux au public, prenant soin de minauder au moindre toucher du vent qui leur bouge un brin de la coiffe, minaudant comme elles s'imaginent qu'on minaude à la parisienne : « Punaise, quelle punaise ! », puis la première reprend bien vite le récit interrompu par le vent, et l'autre s'agite, s'esclaffe aux larmes, se repoudre, s'exclame :

– Oh non.

– Si. Si. Du jour au lendemain il me dit : J'ai un piercing.

– Oh non.

– Un Prince Albert, il me dit, ça s'appelle un Prince Albert.

– Oh, non. C'est quoi, un Prince Albert ?

– Tu veux dire c'est où.

– Oh non. Tu veux dire pile où je pense.

Et elle se penche vers sa camarade de ragots intimes, et on l'entend murmurer comme un acteur qui sait faire entendre son murmure à toute une salle : PÉNI...

– Pile sur le S. Pile sur le S.

– Oh non.

Elle attrape son reflet avec un de ces petits miroirs ronds à manche, made in China, au dos desquels on voit des filles asiatiques posant en Marilyn Monroe sur un lotus, les pétales du végétal imitant les franges soufflées de la robe, elle va pour se repoudrer, se ravise, s'attarde un instant sur l'image agitée de son rire, puis sur l'accalmie de ses traits, et se regarde dire :

– Il ne t'a pas dit qu'il allait le faire ?

– Non.

Elle range le miroir, satisfaite de sa physionomie redevenue assez pensive pour coller à la profondeur sentencieuse du propos à venir.

– Alors il ne t'aime pas.

– Alors, heureux d'être là ? dit à nouveau l'homme de l'Agence.

– Heureux ?

– Heureux ou malheureux ?

– Chanceux.

Le temps n'a pas varié, dix ans n'ont pas varié l'ordre des saisons, se dit le revenant. Sécheresse et précipitations brutales ont favorisé la prolifération des insectes des marais.

Il faudrait qu'un vent fort les frappe, que la piqûre

d'un grand froid cloue leurs pattes d'araignée qui continuent, longtemps après le passage des ailes paresseuses, à vous frôler le visage, toujours à hauteur des yeux. Mais ici le froid n'est pas coutume. Et personne ne prie vraiment pour la libération des grands vents. Personne n'a encore oublié la combustion de la terre, tactique obsessionnelle compulsive qui fut la marque de cette guerre, le feu happé et gonflé par les grands vents jusqu'à la cime des arbres, des souches de feu qu'on introduisait, de mains d'homme, sous la terre, et le feu ne faisait même pas mine de se retirer quand il atteignait l'étendue des eaux. Le ravage était confié à des nageurs habiles. On a vu les tisons passer le voile de l'eau avec des hommes comme montures.

III

Il faut imaginer qu'il y a longtemps, dix ans, une vie ou deux, mille vies ou deux, il suffisait de passer la fin du jour à la porte de Vieilleville pour côtoyer la fête. Vu d'aussi loin qu'aujourd'hui, tout était fête dans les rues de ce quartier où les habitations avaient poussé autour des dernières traces d'une brousse disparue : un entrelacs d'anciennes pistes sauvages entraînées dans le défilé accidenté de mille petites cours. Cette confusion de cabanes avait été vaguement réduite à l'appellation de « carrés d'habitat » sur des plans où on ne lit pas la fatigue humaine, comme on pouvait la lire, sur place, dans les nervures de clôtures inachevées se laissant traverser par ces ruelles entassées, difficiles à dénouer avec des noms de rue, ces venelles désormais aliénées dans l'urbanité nouvelle qui avait isolé Vieilleville, le quartier des rues sans nom, comme on appelait ce ruissellement désorienté de rouges, jaunes et bleus sur fond ocre, mélange de chaux et de poussière, des couleurs qui se croisent, se cousent ensemble en motifs fleuris, arabesques et larges pétales. Des teintes, à la fois pâteuses et vives, qui pouvaient troubler la vue, faire croire parfois qu'elles se détachaient sur le fond vide du ciel.

On en oubliait les planches de la cabane où quelqu'un les avait appliquées à la diable et au gros pinceau.

Et quand, dans la lumière lunaire, toute cette efflorescence se mettait à remuer (comme l'arc-en-ciel peut remuer, devenir vivant), le rudiment de ces habitats-là avait soudain quelque chose de somptueux aussi.

Au-delà du terrain vague, il fallait franchir un portail en rang serré, recevoir le salut belliqueux du monsieur carré qui fait tampon à l'entrée, plonger immédiatement dans la tourmente de la piste de danse comme on se jette à plusieurs sur un train en partance, rattraper la musique pendant qu'elle décollait par le toit ouvert, enseigne sonore fléchant le chemin pour quelque visiteur attiré depuis l'espace. Il faut imaginer la haute palissade en tôle ondulée sur laquelle on pouvait lire AU COUVENT DES VIERGES FOLLES – BAR DANCING.

C'était là que nous nous retrouvions, Mozaya, Asafo Johnson et moi, pour cueillir l'inspiration, dont nous nous remplissions en même temps que de la gnôle populaire, et écrire des saynètes sur l'augmentation du prix du pain ou sur les nouvelles lois pour lutter contre la rumeur.

Les gens disaient : « Une occupation dans la vie, ce n'est pas ça que j'appelle une occupation dans la vie, ça. »

Nous avions fondé, tous les trois, le Théâtre des Pièces à conviction. Cette appellation de brigade désignait l'irruption calculée d'une douzaine d'énergumènes dans les bus, les gares routières, le parc floral, les marchés de nuit, improvisant des joutes oratoires et jouant des sketches que nous venions composer ici.

Les gens disaient : « Ça, ça, si c'est ça que vous appelez une occupation dans la vie, ça. »

Asafo Johnson disait qu'il avait le temps de décider s'il allait faire du cinéma ou de la politique, qu'il hésitait encore entre devenir pape ou acteur comique.

Des interrogations profondes nous ne retenions qu'une gravité amusée : Être ou ne pas être qui dans le jeu des statuts / Être ou ne pas être quoi dans le jeu des rôles / Être ou ne pas être comment dans le jeu des simulacres / Être ou ne pas être où sur la scène des opportunités, où les simulacres font commerce.

Nos discussions étaient des épreuves de fatigue, des combats au finish, où il fallait lancer du tac au tac une citation contre une autre citation, faire ricocher le nom d'un Grand Auteur contre le nom d'un Grand Auteur. Jusqu'au moment où nous ne savions plus dire qui a gagné, qui a perdu, qui a eu raison, qui a eu tort dans ce combat de Titans – Shakespeare, Voltaire, Wilhelm Reich, Amadou Hampâté Bâ, le Bouddha, Aimé Césaire, Bob Dylan, saint Augustin, Mishima, Kateb Yacine –, dont nous n'aurions été, après tout, que les bras armés de citations.

Je me souviens des mains de Mozaya farfouillant

dans ses vêtements, à la recherche de ses carnets où les citations étaient recopiées avec des encres de différentes couleurs, tassées en vrac dans le grillage régulier de la feuille, protégée chacune par la sentinelle rouge du liseré tracé au feutre.

Il faut suivre du regard la prestation de ses doigts passant d'une poche à l'autre, remuant sa salopette à grands coups du plat de la main, à l'endroit du ventre où des poches sont collées sur d'autres poches, il glissait deux mains vers l'arrière de son pantalon, allait jusqu'à la cheville dans un fouillis d'autres poches : un enchaînement de gestes qui activait ce costume braillard dont lui-même semblait n'être qu'un double fond bourré de feuilles de papier.

Et puis c'est le coup final de mettre le carnet dehors, un geste d'illusionniste dans une fraction de lumière. Le carnet enfin crocheté entre le majeur et le pouce, aussitôt brandi, scruté, pesé dans la bascule du regard. Et voilà l'enchanteur, Shiva aux bras multiples, les doigts effeuillant les carnets colorés comme des pétales émincés.

Mozaya ne lisait pas les livres. Il entrait dans les livres, fouillant, repassant de coin en coin. Comme un botaniste herborise dans la touffeur d'une forêt vierge, il lisait « dans les livres ». Comme on lit dans la fumée.

Il disait : « On n'entend pas toutes les voix en même temps dans la même histoire. »

Il disait qu'à un commencement il y a ceux qui avaient les terres et ceux qui avaient Le Livre. Ceux

qui avaient Le Livre dirent à ceux qui avaient les terres :
« Dans Le Livre, il est écrit : mes frères. Mes frères, fermons les yeux et prions. »

On ferma les yeux. On pria. *In seculae seculorum.* On ouvrit les yeux. Et quand on les ouvrit, ceux qui avaient Le Livre avaient les terres et ceux qui avaient les terres avaient Le Livre.

Et si ces terres valaient bien un psaume, le sous-sol valut bientôt des tomes et des tomes qui arrivèrent en français, en américain, en arabe classique, en russe, en chinois. Et dans ces Livres, il est écrit : mes frères. Mes frères, fixons l'avenir.

On fixa l'avenir jusqu'au trou du bilan. Et ceux qui avaient Le Livre avaient entubé nos morts jusqu'au manganèse. Et ceux qui avaient les terres, il leur restait Le Livre où il est écrit : mes frères. Mes frères, mourrons !

Et ceux qui avaient les forêts sortirent des forêts et on alla mourir sur de lointains champs de bataille. Et quand les fantômes, en compagnie des survivants, revinrent dans leurs forêts, ceux qui avaient Le Livre avaient les forêts et ceux qui avaient les forêts avaient Le Livre où il est écrit : mes frères. Mes frères, dansez !

Il disait : « Un livre, c'est comme le maître qui indique la lune. Le vulgaire médite sur le beau doigt du maître. Le bon disciple médite sur le bel astre que le beau doigt indique. Moi, Mozaya, le disciple mécréant, je médite sur ce que ça veut dire, "indiquer". »

Les matins nous retrouvaient souvent sur la plage, le

corps en état de rire et d'épuisement, une excitation mêlée d'une légère anxiété, comme si la renaissance du jour reposait uniquement sur l'espérance des hommes et que nous étions les derniers au monde. Mon souvenir ici ne s'attarde pas aux brouilles épisodiques que nous n'avions pas su éviter. Petite Tante disait : « On ne fait pas des liens sans faire des nœuds. » Les gens, caractères charitables mais sans largesse, disaient : « Ce n'est pas une occupation, ça. Ce n'est pas ça que j'appelle une occupation dans la vie, ça. »

Et puis une fille, dont je ne saurai jamais le nom, est arrivée dans la vie de Mozaya. Elle est arrivée par la caravane des bergers peuls qui passaient une fois l'an sur la côte, glabres dans leurs grands costumes gonflés par le vent. Costumes et bâtons de berger, vus de loin, prenant parfois la conformation de fines voiles accrochées à des mâts, on aurait dit voletant par-dessus le vaste troupeau de zébus qui jouaient et de la corne et de la croupe. Avec cette manière-là qu'ont les zébus de dodeliner : comme si la tête trop lourde tentait de se rappeler sans arrêt la présence trop aérienne, trop lointaine, des cornes. Avec ce regard de mélancolie et de grâce que ça leur donne de secouer ainsi la tête dans une déploration continue.

Après le départ de la caravane, cette fille que Mozaya avait appelée du regard et qui lui avait répondu aussi par le toucher du regard était restée là. On ne saura pas son nom puisqu'elle ne pouvait pas le dire et qu'il est probable qu'elle-même ne l'ait jamais entendu, n'ait jamais entendu quelqu'un l'appeler par un nom quelconque qu'on aurait jugé nécessaire de lui donner, même si on peut imaginer que ça avait pu être le cas, qu'on l'ait appelée pendant quelque temps de son enfance par un nom, le temps que ça avait dû demander à son entourage pour s'apercevoir que son mutisme allait avec sa surdité, et que sa surdité était de naissance et pour la vie.

C'était avec elle que Mozaya entama une vie monacale, comme il me l'écrira plus tard, « faite de silence et d'amour ».

On ne pouvait pas imaginer alors comment, à quelque temps de là, des mots de panique et des protocoles de tuerie allaient les pousser à se terrer dans une école, à veiller quelques élèves réunis autour d'eux, des enfants qui n'avaient plus de vie qu'en rêve. Tous dormaient dans la vaste école désertée, et la dernière lettre disait que les enfants étaient de plus en plus perturbés dans leur sommeil. Et quand ça leur arrivait, il n'était pas rare de les entendre chanter ou plutôt d'entendre, sortant de façon floue de leur corps, des résonances de canaux, quelque chose comme des monosyllabes réitérés que la difficulté de respirer faisait clapoter. Des berceuses, probablement, qui leur avaient été chantées par une voix apaisante autrefois, aujourd'hui trop lointaine pour apaiser, et dont la mémoire automatique prenait passablement le relais. Grâce à quoi, aussi longtemps que possible, se berçant ainsi, les enfants se maintenaient de force dans les régions du rêve. Ils dormaient.

Quand je suis parti dans le Nord, on ne savait pas encore à quelle vitesse de déraison se dépêchait le jour du Grand Tourment.

Je suis parti trouver une occupation comme on dit dans la vie, comme on dit aux jeunes gens qu'on invite à sortir dans le monde de la vraie vie, où faire preuve de ses talents signifie qu'on a fini de rire.

Je me suis retrouvé dans le nord de la mégacité, Gloria Grande puisqu'il faut l'appeler par son nom d'avant la partition, centre actif et grossissant de négociations marchandes. Cité des Capitaux, Babylone, Vatican du Veau d'Or sont les surnoms par lesquels se distinguait cette excroissance subite et abondante, quand la ville avait commencé à s'étaler à une vitesse prodigieuse, ou plutôt à s'étirer dans l'étroite bande de territoire qui la compressait comme dans un tube, courant sur plusieurs dizaines de kilomètres pour croiser la Route du Désert, la Route du Ciel et l'Ancienne Route des Hommes Esclaves.

Et puis, autre chose, il faut dire que Petite Tante, il y

a eu sa mort, ma parente la plus proche au monde, qui m'avait élevé comme père et mère.

Et aujourd'hui encore, quand je pense à elle, je ressens sur la peau le duveteux et l'épais du beurre de karité, je revois la cuvette d'eau, la vapeur, la serviette, toute la décoction, la macération des feuilles et des racines, un peu de mousse de temps en temps dans le repos des feuilles froissées : Elle me massait à sa façon, cette façon de faire entrer les arômes par pression sur mes os. Les doigts méticuleusement sur les os du crâne : aspérité / creux / aspérité / creux. Elle descendait un peu, quelques vertèbres de la nuque, tapotement sur les aspérités / appui sur les creux, puis frôlement à l'huile avec des senteurs qui réveillaient le cuir chevelu, et elle me faufilait les sourcils.

Et comme je pense à elle aujourd'hui, je ressens le poids de sa main sur le dos de ma main, sa main qui, un jour, avait fait glisser ma main pour m'apprendre à la plume le tracé des lettres qu'elle calligraphiait – plein et délié, plein et délié sur la feuille de papier pauvre que la pointe de la plume accrochait, soulevant par endroits des fibres cotonneuses, on aurait dit des poils. Plein et délié, plein et délié avec la pointe de la plume, le geste délié, c'est le trait fin lorsqu'il monte sur l'arête, le geste plein, c'est le trait appliqué du plat de la plume, en glissade vers le bas jusqu'à ce qu'il heurte la ligne pour donner l'impulsion de la boucle du *b* minuscule.

Et je ne mens pas quand je dis que je sais ce que ressentent les oiseaux en vol libre.

Dans les cahiers d'écriture de Petite Tante, j'observais le mouvement du blanc sous les lettres, entre les lettres. Et je voyais des accidents de terrain, des points de passage, des couloirs, des points d'appui, des prolongements caverneux, des méandres, comme on suit des yeux les pistes tracées sur un plan.

Avant de savoir lire les mots, les formes et les trames des lettres étaient pour mon entendement un théâtre de mimes où j'avais des visions. Je *voyais* des histoires dans les chemins tortueux que les lettres empruntent pour se hisser jusqu'à la page, comme on entre en scène.

Je suivais le *i* avec la sensation de grimper sur la tige jusqu'au sommet pour observer le point, et je découvrais que le point sur le *i* est une illusion d'optique. Ce n'est pas un point, mais c'est le commencement d'un autre trait dont nous ne voyons que l'extrémité en contre-plongée. Deux traits se réfléchissant l'un l'autre dans un parfait alignement vertical, laissant imaginer un autre, insoupçonnable, au-dessus du deuxième, puis un autre encore, un autre peut-être alors, jusqu'au plus haut des cieux.

« Plein et délié, plein et délié », disait Petite Tante, et j'avais l'impression que sa voix était encore du toucher.

Et soudain la mort... quoique bien plus tard... et pas soudain, non. La mort avec sa dent de scie. La mort chaque fois différée de Petite Tante, entrecoupée de retours d'euphorie qui la tiraient hors de la maladie, du lit, de l'inanité, lui redonnaient vigueur de parole, et alors elle disait quelques mots de répit et ses rires automatiquement prenaient le dessus. Ensuite il faut dire que la maladie, le lit, l'inanité la rattrapaient aussi brutalement qu'ils l'avaient lâchée.

Il faut dire que, un jour, ses rires n'ont plus eu le dessus et je suis parti dans le Nord gagner ma vie – sans aucun désir de vie, désormais. C'est ce que je pensais – Sans aucun désir de vie. Je ne l'aurais pas répété si ce n'était pas vrai, se dit le revenant.

Je suis parti dans le Nord comme on accepte la fatalité d'une mission, cette impression de faire ce qui reste à faire : une occupation dans la vie qui m'éloigne de la vie.

Ce genre de décision qu'aucun désir ne fonde, information opaque que nous appelons le destin, avait voulu que je me retrouve, quand arriveront les troubles, dans la zone Nord protégée par les soldats de l'Internationale Neutre : Sud-Africains, Malais, Pakistanais et Belges, et par la frontière des terres sèches et creuses, une végétation trop maigre, peut-être, pour répondre correctement aux impératifs d'un maquis.

J'ai souvent ressorti les grandes enveloppes contenant les longues lettres de Mozaya, lui qui n'écrivait jamais à personne. Et dans ces lettres, il commençait toujours par me relever du serment auquel je n'arrivais pas à être fidèle, après mon installation dans le Nord, malgré les efforts conjugués de la volonté et de l'attention, le serment que je ne manquais pas de renouveler, d'une lettre tardive à une autre lettre tardive : « La prochaine fois, promesse, je n'attendrai pas ta troisième lettre pour te répondre en bloc. » Et lui, commençant toujours ses lettres par la même formule : « J'ai plaisir à t'écrire. »

À l'écart de ces miscellanées de paragraphes étalés sur la page jusque dans les coins, et reliés par des traits, il me donnait, pas souvent, une fois ou deux, des nouvelles d'Asafo Johnson. Peu de chose, en vérité. Au milieu de différentes appréciations sur le livre qu'il était en train de lire, et dont il me recopiait les morceaux choisis avec des encres de différentes couleurs comme à son habitude, il me disait en une seule ligne que notre ami était désormais occupé à jouer la comédie avec une «vraie troupe», la compagnie de la Radio, qu'ils ne se voyaient plus beaucoup ou pratiquement plus. Une autre fois, il avait ajouté un détail, un indice auquel j'aurais dû m'arrêter, quelque chose à propos de la radio, non pas qu'il ne l'écoutait plus mais qu'elle était devenue inaudible.

«La panique gagne les mots», écrivait Mozaya. Sur le bureau de la salle de classe, il n'y avait plus le poste avec ses voyants, qui faisait les délices des élèves à l'heure des contes ou des dramatiques pour enfants.

Il me parlait dans sa dernière lettre de quelques élèves qu'il soumettait encore tous les matins à l'indispensable rituel de la citation du jour. Ablution mentale avant le début des cours, ces fragments de texte recopiés au tableau et récités en chœur – «Entre le Oui et le Non, entre le Pour et le Contre, il y a d'immenses espaces souterrains où le plus menacé des hommes pourrait vivre en paix» –, ces bouts d'écriture, quand on songe à ce qui allait advenir, où le sort du livre et le sort du bois auront partie liée par le feu, c'étaient des souches de livres en voie de disparition qu'il cultivait dans la serre de ses carnets, qu'il replantait par boutures sous les cheveux des enfants.

C'est avec ces lettres qu'il m'arrive encore de remonter le temps, recherchant les indices qui m'auraient permis de mesurer, à leur juste dose d'effroi, ce qui allait advenir.

Comme une ruine soudaine, la saison des fuites qui allait advenir, la ligne de démarcation, la partition de Gloria Grande, cette guerre, le pays tout entier se recrachant par petits paquets de lambeaux, cette guerre qui passera à la télévision sous le nom de clash interrégional, pareil au nom qu'on aurait donné à ces olympiades folkloriques où des champions de village s'affrontent dans des tournois de lancer d'oignons ou de course de barils. Cette guerre où l'on verra des régionaux traquer d'autres régionaux jusqu'aux gogues des sous-quartiers. Ce qui adviendra de façon précipitée, le souffle d'une fumée depuis la source d'un feu caché.

Événements sans présage, à part peut-être la peur diffuse dans les mots qu'on entendait, l'oreille collée à la radio. Les mots qu'on voyait se figer au soleil sur des murs mitoyens, tracés à la main invisible, des mots désormais inamovibles dans le commerce quotidien de la parole, les mots de la peur en expansion, les mots d'ordre qui appelaient ceux qui étaient, « à part entière, enfants du pays réel » à se préparer pour « l'œuvre de punition » à l'encontre de ceux qui étaient « entièrement à part », à qui on promettait une affliction durable. Les mots qu'on voyait s'agglutiner sur des imprimés lancés par-dessus les palissades dans les cours des maisons :

> Fût-ce un soir. Fût-ce un matin. Fût-ce à l'heure où le soleil appelle au repos. Nul repos avant l'accomplissement de l'œuvre. Nulle seconde de repos pour le bras armé de Punition. Nulle seconde de répit pour ceux qui l'attirent sur leur tête, sur la tête de leurs enfants dont ce sera la dernière génération, sur la tête de leurs épouses et de leurs sœurs, dont ce sera la dernière parturition. Voilà ce que dit l'Ancêtre, le Totem à Tête d'ivoire : Je veux que le nécessaire soit fait.

Comme une boule lancée contre d'autres boules agglomérées pour foudroyer le tas et provoquer des éclats sonores, le Totem à Tête d'Ivoire, mot mascotte bientôt grimaçant d'un pays dit « réel », amplifia le bruissement d'autres mots dans la bouche du plus grand nombre, jusque dans les blagues macabres et prophétiques qui enchantaient les journées du bon peuple, un ramassis d'« imbéciles heureux qui sont nés quelque part », comme dit la chanson que Mozaya citait dans sa lettre.

On en oublia que, au commencement, ce mot « Tête d'ivoire », avant de se retrouver hissé au rang de Totem, n'était d'abord qu'un signe marqué sur une carte pour guider des tueurs d'éléphants venus d'un lointain côté de l'Europe, pour traquer les bêtes autour des points d'eau, jusque sur les sentiers de promenade et de migration où l'on pouvait proprement les abattre.

Trace laissée par une convoitise qui s'était ruée sur les éléphants comme les hommes sautent sur l'or, ce mot qui n'avait servi qu'à circonscrire, autrefois, un périmètre de chasse allait provoquer l'explosion.

Quiconque ne pouvait chanter sa généalogie jusqu'à l'octave juste, jusqu'au Totem, était appelé l'Anomalie : quelqu'un dont l'apparence humaine allait compter pour contrefaçon.

« La panique pour l'instant n'a gagné que les mots », écrivait Mozaya, le ton toujours aussi buté que s'il avait parlé de ces pluies calamiteuses qui s'annoncent par de grands vents, mais qui ne s'abattent pas, que les hommes se préparent à fuir, avant de s'apercevoir que le ciel s'est à nouveau éclairci sans raison.

Et je sais que la fanfaronnade est la pudeur des grands blessés.

IV

Le gros de la main-d'œuvre abandonnait le sud de Gloria Grande. Ce fut le prélude au blocus du port, au pourrissement des champs de cacao défaits. Les fuyards, leurs voix dans la rumeur, parlaient de « présences armées » qu'il fallait éviter à tout prix sur les routes et sur les ponts. On ne savait pas quand, on ne savait pas à quel prix on pouvait les empêcher de surgir de sous terre ou de l'ombre du firmament, de sortir d'un arbre ou d'une grotte. « Présences armées » autour des points d'eaux dont parlaient les gens de la Longue Fuite.

Comme on parle d'une apparition.

On aurait cru à une vision sortie de ces contes terribles qu'on dit aux enfants sages, une vision de ces caïmans lubriques qui interdisent l'accès aux sources vives jusqu'à ce qu'on leur sacrifie une vierge annuelle pour le prix de l'eau. Sauf qu'ici la certitude n'existait pas de recevoir de l'eau en échange des sacrifices.

C'était peu avant l'installation de la ligne de démarcation. On apprenait que, dans le sud de Gloria Grande, l'heure était aux gestes de provocation de plus en plus fréquents, surtout au quartier Lamentin où Mozaya vivait encore. Où il avait vu le jour.

Son père, Jamal « Fathead » Zambi, était un Américain de souche africaine et de confession mahométane, *black muslim*, et se disait aussi un peu Cherokee du côté de sa mère, arrivé ici pour la première fois avec un groupe de voyageurs américains en pèlerinage sur l'Ancienne Route des Hommes Esclaves, que la mode des commémorations et le succès du tourisme consciencieux avaient fait rénover.

Il était reparti puis revenu pour cause de nostalgie identitaire, puis reparti, puis revenu sans aucune cause, à part s'installer au quartier Lamentin où vivait une communauté de pêcheurs adorateurs d'un empereur d'Éthiopie, dont ils attendaient la résurrection glorieuse.

C'est là qu'il fit la connaissance de celle qui sera la mère de Mozaya, une femme qui vivra assez longtemps pour que l'enfant atteigne l'âge d'entendre, de sa bouche à elle, qu'un jour, après leurs ébats qui avaient lieu dans l'océan, l'homme qui sera son père, Jamal « Fathead » Zambi, s'était éloigné brasse après brasse, comme d'autres allument une cigarette après l'amour, et n'était pas revenu avant sa naissance, ni après – n'était pas revenu à ce jour.

Huit ans étaient passés depuis le soir du drame quand la mère s'était décidée à emmener l'enfant à l'endroit de la disparition, et elle avait préparé le sac avec les vêtements du père, les vêtements qui étaient restés sur la plage le jour de leurs ébats océaniques, là, pendant toute l'agitation des secours inutiles, des vêtements que ni elle ni personne n'avait songé à ramasser. Et elle s'était levée dans la nuit du drame, ne sut comment se tenir jusqu'à la plage.

Le monticule d'étoffes était là, les chaussures aussi avec leurs grosses boucles réfléchissant le clair de lune en minuscules appels lumineux.

Huit ans plus tard donc. Elle refit le même chemin avec les vêtements et l'enfant, et, jusqu'à la plage, elle ne savait toujours pas comment se tenir. Comment mieux se tenir, mieux que le soir du drame.

Elle s'était mise à l'écart.

Elle avait retrouvé l'endroit. Elle avait reconstitué le monticule et mis le feu. Puis s'en était retournée avec l'enfant, et ensuite.

Ensuite, elle avait mis les disques que l'homme avait rapportés d'Amérique, les disques qu'il lui faisait écouter au réveil autrefois *Who's that woman walkin'* Tous ces disques qu'elle n'avait plus mis depuis *Who's that woman walkin'* depuis la fin des temps *On that road road* De sorte qu'elle se souvint qu'elle n'avait eu aucune berceuse aux lèvres depuis que l'enfant était né *Who's that woman walkin'* pas la moindre berceuse *On that road* depuis que l'enfant était né.

Elle se souvint que, en ces temps-là, elle dépérissait, et qu'en regardant parfois son propre corps nu dans le miroir, portant le corps agité de l'enfant, l'idée ne lui venait pas d'une chose quelconque qui pouvait être une berceuse, qui pouvait sortir par sa voix à elle, du cœur de sa maigre machine, cette voix avec laquelle elle berçait l'enfant à présent, enfin *Who's that woman walkin'* Sa voix à califourchon sur la voix que libérait la rotation du disque *On that road road man* Et elle se souvint longtemps de l'homme dont les vêtements brûlaient peut-être encore dans le vent.

Elle dit alors à l'enfant qu'elle entendait la voix de l'homme dans l'oreille, sa voix dans l'oreille, non pas le souvenir de sa voix mais la sensation physique, le toucher de la matière sonore dans l'oreille. Comme il arrive que l'évocation de quelqu'un vous ramène aussitôt son odeur dans le nez.

Elle dit à l'enfant comment cet homme lui avait appris à chanter ces rudes complaintes, à accrocher sa propre voix à la voix sur le disque, à califourchon *Hummm – mmm Hum Hummm – mmm Hummm – mmm.*

Elle dit à l'enfant que le père se levait parfois plusieurs fois dans la nuit, pour remettre un disque au son duquel ils s'étaient endormis quelques heures plus tôt *People are drifting from door to door/Can't find no heaven/I don't know where they go.*

Et alors, il disait qu'il n'arrivait pas à dormir, qu'il entendait des voix *Hummm – mmm Hum Hummm – mmm Hummm* qu'il entendait d'autres voix dans le chant, qu'il entendait des ahans de bagnards tressant en un seul rythme l'outil, le corps et la chaîne, cassant des cailloux sur les routes qui relient l'Amérique à l'Amérique, des aboiements de chiens autour d'une Indienne exhibée sur une place publique, le souffle tapi d'un esclave en fuite, recueilli par des familles de Cherokees, elles-mêmes en fuite devant le général Winfield Scott, des cris d'oiseaux migrateurs dont on dit qu'ils rapatrient par-delà les mers les âmes errantes des esclaves sans sépulture.

« On n'entend pas toutes les voix en même temps dans la même histoire », voilà ce que disait le père à ces moments-là où il se tenait debout, au zénith de l'insomnie, à entendre des voix, des voix, des émanations fossiles dans le chant présent *Must keep on travelling/Until I find me some place to go/Must keep on travelling/Until I find me some place to go*

Et quand plus tard Mozaya, celui qui n'est encore qu'un enfant, comprendra assez la langue du père pour traduire, il dit qu'il éclatera de rire devant cette énigme *Me faut continuer le voyage/Jusqu'à ce que je me trouve quelque part où aller.*

Cette énigme du blues où la solitude, même la solitude, a la figure d'un homme délabré, à qui il reste la force d'un rire étonné devant l'absurde miracle de se voir marcher encore sur terre.

C'est ce que l'enfant, quand il aura grandi, appellera le *lucky blues* de son père, c'est ce que l'enfant aura appris à raconter quand, des années plus tard, il nous dévoilera tout ça, à Asafo Johnson et à moi, tous les trois couchés sur le sable, après une certaine nuit de musculeuses agapes, dont nous étions sortis comme qui dirait vivants, triomphateurs de la nuit et de ses rets.

Mozaya avait les yeux fixés sur l'horizon, avec la stupeur mêlée d'émerveillement que déclenche une apparition.

« On n'entend pas toutes les voix en même temps dans la même histoire », répétait le père sur la durée des heures nocturnes. Et il n'y avait rien à faire, dit la mère à l'enfant cette nuit-là, rien d'autre à faire, à part l'amour qui donne la paix physique.

Et aux oreilles de l'enfant, ça devait sonner, quand la mère répétait ça – « On n'entend pas toutes les voix en même temps dans la même histoire » –, ça devait sonner comme la coulée d'une glossolalie, une formule de grimoire.

Et l'enfant dira plus tard qu'elle ressemblait, pendant qu'elle livrait toute cette histoire, elle ressemblait à quelqu'un qui dit des choses dans son sommeil. Mais elle ne dormait pas. Elle le berçait de face et leurs yeux étaient ouverts *Hummm – mmm Hum Hummm – mmm Hummm – mmm Hum Hummm – mmm Hummm* puis ses propos à nouveau venaient déborder l'enfant, comme nous déborde la parole d'un dormeur depuis son lointain rêve.

Au quartier Lamentin, les rumeurs ne parlaient plus que de listes qu'on dressait, d'enquêtes qui se poursuivaient jusque dans les archives des naissances. La trame serrée, tassée, de cette organisation de la peur ou de la mort annoncée, ceux qui en étaient les maîtres d'œuvre l'appelaient «Le processus opératif des Rebelles».

Les Rebelles : autre mot qui avait fait son apparition. Un mot à succès depuis qu'un picto-journal parisien nommé *Visions de choc* avait publié les photos d'un groupe de combattants autour d'un écriteau fait de bois flotté et de goudron, marqué FRONTIÈRE.

«Les Rebelles», dit la légende barrant les photos sur une double page, les caractères reproduisant le naïf de l'écriteau FrONTIèrE tracé à la main, mélangeant majuscules et minuscules.

Et tout autour, le rang serré des shorts déchirés et rapiécés, le raphia et la liane maillant des tee-shirts sans manches, ou à une manche, auxquels sont accrochées de petites gourdes couvertes de salissures nouées, appelées talismans pare-balles, des lunettes noires complétant la pose du combattant.

Un défilé de mode trash, une parade de mannequins crades dans quelque garage new-yorkais branché auraient été pareillement photographiés. Dans cette délicieuse ambiance *jungle* qu'on aurait obtenue grâce à l'audace inspirée d'un talentueux «metteur en espace», les fusils seraient semblables alors aux accessoires d'une comédie musicale vantant un groupe de rock au nom volontairement démodé : Les Rebelles.

Des Rebelles croque-mitaines aux noms emphatiques, désormais illuminés par des flashs dans un décor de maquis : Hannibal Katanga, Bantou Cosa Nostra, Ninja Tirailleur, Zeus Brigadier, Zoulou Yakuza, Sergent Pepper.

On en verra, à quelque temps de là, sauter sur la capitale pour opérer des pillages, au bout desquels ils compléteront leurs déguisements avec des verroteries, des masques de farces et attrapes, des cravates sur le cou nu, des gants d'artisan, certains s'attifant de perruques blondes, de tutus, de robes de mariée : des clowns s'apprêtant à faire figuration de nègres dans un tournage de *Tintin au Congo*, on aurait dit, si tout cela n'affichait tant d'effroi et de mortalité.

Il faut imaginer, c'est la mort qui s'entraîne à rire.

C'était une saison où l'on fuyait beaucoup. Peu avant l'installation de la ligne de démarcation. Les fuyards, ceux qui ne poussaient pas vers l'est, vers l'enclave placée sous la protection des Chinois, leurs pas les dirigeaient vers ici. Avec cette hâte à l'arrivée, si on peut appeler ça une arrivée, cette hâte de brader radios, montres, posters, vêtements, quelques dernières possessions, au premier qui disait une parole d'accueil empressé, et qui savait aussi tirer profit d'un plus grand désarroi que sa pauvreté ordinaire.

C'était au début de ce mois pourri de mars qui présidera à la saison des fuites. Mozaya ne se décidait pas à partir. Je lui avais écrit pour lui proposer de les accueillir, lui et son épouse, comme il appelait, sans aucun acte de mariage public, cette fille au nom muet, cette fille qu'on ne pouvait appeler que du toucher de la peau ou du regard, cet amour sur lequel il veillait encore comme on couvre un camarade exposé.

Ils s'étaient installés dans l'école avec les derniers élèves, de grands enfants braillant «Entre le Oui et le

Non, entre le Pour et le Contre, il y a d'immenses espaces souterrains où le plus menacé des hommes pourrait vivre en paix».

Comme si l'agitation conjuratoire de quelques élèves récitant à tue-tête poésies et comptines et Marguerite Yourcenar pouvait fomenter une opération magique capable de décourager l'ouragan annoncé, capable de le contraindre, au bluff, à suspendre son attaque.

Ces enfants venaient le plus souvent de villages éloignés, confiés par leur famille à quelqu'un de la ville, parent ou allié, au bout d'un protocole sophistiqué de confiance où étaient célébrés les liens de sang, de chair et de raison qui cimentent les clans, sans oublier au nom de Dieu – Confiance et bénédictions –, au nom des enfants de demain.

Et le parent ou l'allié, quelqu'un de la ville, promettait en son nom propre de pousser l'enfant dans ses études. En dépit de quoi le petit-cousin, la petite-nièce, la descendance du consanguin se retrouvait tous les soirs et tôt le matin à balayer la cour, la véranda, à laver la moto, à broyer du noir. Mais on tenait parole selon les apparences et on envoyait l'enfant dormir en classe, d'où il se faisait renvoyer à la maison pour reprendre les opérations de balayage et de lavage et de broyage où il les avait laissées.

Quand la fuite fut annoncée, nombre de ces enfants aux attaches lointaines ne furent pas comptabilisés parmi les biens à emporter ou à mettre à l'abri.

Mozaya disait ça dans sa dernière lettre qu'il m'arrive encore de citer de mémoire.

C'était juste avant le tracé de la ligne de démarcation et le débarquement des contingents malais, belges, sud-africains et pakistanais.

On traça des lettres capitales sur les habitations de ceux qui n'étaient pas « d'origine ». On sonna à grands cris le « Rendez-Vous de la Séparation ». On annonça le « Commencement des Douleurs » qu'on baptisa aussi « l'Heure de Punition ou l'Heure du Grand Tourmenteur ». Au nom de quoi on triera désormais le fils du père du fils de la mère, l'enfant du « pays réel » de l'engeance de l'ivraie.

On triait à la saignée, la main sans relâche sur le manche de l'outil, la voix récitant au fil de l'outil :

Écoutez bien. Écoutez ce que dit le Totem à Tête d'Ivoire : Je veux que le Nécessaire soit fait. Je veux que le Nécessaire soit fait. Fût-ce un soir. Fût-ce un matin. Fût-ce à l'heure où le soleil appelle au repos. Nul repos avant l'accomplissement de l'œuvre. Nulle seconde de repos pour le bras armé de Punition. Nulle seconde de répit pour ceux qui l'attirent sur leurs têtes, sur la tête de leurs enfants dont ce sera la dernière génération, sur la tête de leurs épouses et de leurs sœurs, dont ce sera la dernière parturition. Écoutez bien ce que dit le Totem à Tête d'Ivoire : Je veux que le Nécessaire soit fait. Je veux que le Nécessaire soit fait. Fût-ce un soir, fût-ce un matin. Déjà le fer est chaud. Pour le rendez-vous du Grand Tourment.

On a raconté comment une partie des derniers fuyards avaient été encerclés dans les bois. On a raconté la battue méthodique, les chants d'allégresse accompagnant les cliquetis des outils de mort à travers le taillis, on a raconté la sauvagerie de la traque dans la forêt, on a raconté la forêt elle-même, qui n'a rien perdu de son charme célébré par quantité de documentaires animaliers, où l'on voit des quadrupèdes affolés tourner en rond, gibiers désignés pour la bombance d'autres quadrupèdes fauves les poursuivant, les cernant pour foncer sur les plus faibles, les femelles enceintes, les petits, les vite fatigués.

Les hommes fauves qui reprirent le rôle des bêtes fauves dans le même décor d'éclatante verdure, on les appellera plus tard des lâches. Peut-être parce que, contrairement aux animaux dont ils prenaient le masque, ils n'avaient nul besoin de la viande qu'ils tuaient ainsi, nul besoin d'en manger.

96

Et si on appela cruauté ou atrocité le geste de ces hommes se jetant sur des femmes enceintes ou de jeunes mères retenant des bébés en vrac contre leur sein, on n'eut pas de mots assez habiles pour désigner l'état d'esprit de ceux qui, restés à l'arrière, avaient pris en main la fouille des quartiers, débusquant des accidentés jusque dans les hôpitaux, entonnant l'hallali dans le dos de plus vulnérables encore que les femmes enceintes ou les jeunes mères : infirmes coincés à domicile, mendiants, fous errants, vieilles percluses.

Et puis subitement, lors d'une de ces crises d'aveu qui donnent du piquant aux cérémonies de pardon, on apprit comment ces hommes, ou leurs semblables, avaient entouré de cris l'école de Mozaya, avaient fracturé la porte de la salle de classe avant de découvrir, ahuris, les corps couchés, comme endormis, tous les corps, sauf celui de cette fille sourde et muette assise au milieu de tout ça, les corps, les bols, la bassine contenant encore un reste de la décoction aux champignons vénéneux qu'elle avait fait boire aux enfants et à Mozaya, qu'elle avait bu elle-même, dira le témoin, elle avait encore le bol à la main, l'iris en éclats.

Et ensuite, pareils au boxeur dont l'adversaire a esquivé le coup préparé, et qui poursuit son élan avec plusieurs autres coups balancés dans le vide, ces hommes furent remplis de fureur et mirent le feu.

« Empoisonneuse », dira le témoin, et ils mirent le feu.

Et comme ce n'était qu'une école, le peuple ne revint pas fouiller les décombres à la recherche de pièces et de bijoux. Ce ne sont pas choses qu'on trouve facilement en retournant la cendre des cartables.

Ne reste plus que cette tristesse minérale qu'ont les ossements blanchis et les échantillons de pourritures cendrées, aujourd'hui enfermés dans des bocaux transparents et scellés, présents et visibles lors de visites programmées au musée de l'Historial, avec, en dessous, de petits cartouches de couleurs portant la recommandation NE PAS TOUCHER. Comme sur une étagère de laboratoire d'école.

J'ai vu la photo dans les nouveaux guides touristiques *Out of Africa*.

J'ai vu l'alignement des bocaux avec ce mélange de nausée et d'ennui coupable qui me saisissait, mauvais élève à un cours de sciences naturelles, devant l'exposition en rang de putréfactions de peau se disposant par paquets aléatoires dans le formol, minuscules poissons d'égout s'effilochant et se vidant dans le flou d'un aquarium de fortune.

Il n'est pas resté pierre sur pierre de la vaste école, tout ce qui peuplait ces lieux de chair, de sang, de papier, de bois, d'insectes, tout cela, y compris la masse humaine et son oxygène, avait eu le même sort de combustible.

Tout avait brûlé, jusqu'à la cendre des journaux intimes, jusqu'au dernier livre dont Mozaya me recopiait des morceaux choisis, d'une lettre à l'autre : « Plus j'y pensais, plus nos idées, nos idoles, nos coutumes dites saintes, et celles de nos visions qui passent pour ineffables me paraissent engendrées sans plus par les agitations de la machine humaine. »

Les nouvelles disent Paix et Célébrations et l'on tente d'en finir avec la récente folie sanglante par de spectaculaires professions de foi dans le pardon. À grand renfort de cérémonies officielles de réconciliation. L'ennui se relayant d'un intervenant à l'autre, se clonant d'après le même bloc verbeux appelé discours, avant de contaminer les confessions télévisées et rediffusées jusqu'à l'usure du travelling sur les fusils déposés par les belligérants, jusqu'à l'épuisement d'une grande quantité de gros plans sur la finesse des mains ouvertes d'un ancien coupeur de routes et de gorges, arrivé tout défraîchi des rosées forestières.

Et pour finir, le ressassement du chapitre sur le supplément d'âme est confié au Grand Diacre du Christ Council for World Evangelisation, St Paul Simon II, le Révérend Clarissime, et à son rival, une figure emmitouflée qui se fait appeler M.U., le nouveau Prophète vivant des Derniers Jours ou encore le Grand Introspecteur.

Aux enlisements de la guerre succède l'enlisement dans la liesse surchargée des repentances, sous les auspices de ces deux autorités morales qui se font concurrence sur le terrain de la pacification, de la confession, de l'implantation des Centres de secours et du reboisement.

Mais tout ce spectacle de fusils collectés et alignés avec le sourire convenable et conforme, toute cette coalition de bonnes volontés se révèle sans influence efficace sur l'abattement collectif, sur l'augmentation des actes de violence, où la signature d'une main vengeresse n'est pas toujours absente, mais que les journaux continuent à relater comme des actes « isolés, inexplicables ou en tout cas inexpliqués ».

Pour passer de l'état sauvage d'impunité générale à un état d'impunité restreinte, le Nouvel Ordre Moderne a promis l'accélération des travaux de rénovation du Grand Palais de Justice du Peuple, la formation de nouveaux serviteurs de la Justice que les nouvelles dans la rumeur appellent « domestiques du Palais », parce que tout cela n'aura laissé dans les mémoires, jusqu'à présent, qu'une unique tentative de procès, ou plutôt une opération sous le nom de Procès de la Littérature criminelle, encore appelé le Procès des Mots.

Une enquête avait permis d'identifier les membres d'un collectif d'auteurs qui, au début de la guerre, avaient publié sous pseudonyme groupé un livre intitulé *Nommer l'ennemi* et dont chaque mot avait la teneur en foudre d'un coup de semonce.

La logique veut que le Nécessaire soit fait. La Force de la Vérité exige la Vérité de la Force. À ceux qui nous accusent de haine, nous répondons que le sentiment de haine est hors sujet. Tout sentiment est hors sujet. Parce que nous agissons par logique et non par sentiment. À ceux qui disent que les temps sont durs, nous répondons que les temps ne sont durs que pour les faibles. La logique veut que le Nécessaire soit fait.

Sur la liste des accusés, il y avait aussi des comédiens de la compagnie de la Radio qui, au jour le jour, garantissaient la diffusion abondante de ces mots par le véhicule des ondes, participaient à des émissions radiophoniques où l'on actionnait, comme une machinerie théâtrale, les leviers émotionnels pour la congrégation des ressentiments.

Écoutez bien. Écoutez bien ceux qui mangent comme mange un chancre, ceux qui avalent sans bruit. Le ver est dans le fruit et il avale le fruit. Il avale sans mâchoire. Que ceux qui ont des oreilles pour entendre entendent. À ceux qui disent que les temps sont durs nous répondons que les temps ne sont durs que pour les faibles.

Et parmi les comédiens de la compagnie de la Radio accusés d'avoir prêté main-forte et voix-forte à la diffusion de ces imprécations, il y avait Asafo Johnson. Il y avait son nom et son visage, imprimés dans le journal qui couvrait les préparatifs du procès.

Et c'est en vain que j'ai tenté d'accorder sa voix avec ces mots :

À ceux qui disent que les temps sont durs, nous répondons que les temps ne sont durs que pour les faibles. La seule parole qu'on veut entendre de ceux-là, écoutez bien, ce sont des cris de bêtes. Qu'ils parlent au grand jour leur vraie langue animale, au jour de Punition, au jour de la séparation du ver d'avec le fruit, au jour de la réparation physique, au jour proche du Grand Tourment.

Je n'ai pas retrouvé l'empreinte de sa voix devenue fugitive, gazeuse dans ma mémoire.

Les accusés, il faut dire qu'ils ne comparaîtront pas. D'abord un témoin s'est rétracté. Un autre a disparu. Ce genre d'affaire dépend de qui on achète. Le juge ou le témoin. Au moins un homme sur deux a un prix. C'est ce qu'on dit dans la rumeur proche des sources judiciaires. Au moins un homme sur deux a un prix et les accusés ne comparaîtront pas.

Le Grand Palais de Justice du Peuple a aussitôt abrité la plus grande cérémonie de réconciliation publique jamais orchestrée, avec des dollars qui, sans être directement tombés du ciel, n'en sont pas moins un don divin ayant transité par les comptes du Christ Council for World Evangelisation. Une association qui a pris racine ici depuis le début du siècle. Sous couvert d'études linguistiques et ethniques dont on comprendra plus tard les véritables enjeux quand on verra débarquer les premières bibles traduites en langues d'ici.

L'association est restée implantée, même au plus dur, au plus étroit de la guerre et, la paix venue, elle a été la première à délimiter ses concessions caritatives et à veiller sur elles, comme elle veille peut-être aussi sur des concessions pétrolifères. Peut-être, peut-être, disent les nouvelles dans la rumeur.

Il est vrai que les zones minières attirent plus qu'ailleurs les nouveaux prédicateurs psychologues que l'association a fait venir d'Amérique, ceux d'Asie et du Brésil arrivés en renfort, accompagnés de prédicateurs locaux à vélo, à dos d'âne, et même à pied, parcourant les collines et citant la Bible : « Qu'ils sont beaux les pieds de ceux qui apportent la bonne nouvelle de la paix et du pardon. »

Il faut imaginer que, il n'y a pas longtemps, nombre de ces prédicateurs locaux étaient de ceux qui menaient, aux mêmes endroits, une curieuse guérilla se réclamant du Seigneur l'Éternel des Armées et de ses Phalanges, et chantaient des versets sanglants du psaume 137 : « Heureux qui te rend la pareille / Heureux qui te rend le mal que tu nous as fait / Heureux qui saisit tes enfants et les écrase contre le roc. »

L'heure est venue pour Dieu aussi de montrer sans détour son unique visage : une forme basique d'intelligence politique, avec le cynisme qui en fait l'apparat et l'outil de jouissance.

Avec sa cravache à la main, prêt à chasser les marchands du temple, un Jésus penaud se fait expliquer que c'est avec l'argent des marchands qu'on a construit le temple, aurait dit Mozaya, se dit le revenant.

V

*Plus j'y pensais, plus nos idées, nos idoles, nos
coutumes dites saintes, et celles de nos visions
qui passent pour ineffables me paraissent
engendrées sans plus par les agitations de la
machine humaine, tout comme le vent des
narines ou des parties basses, la sueur et l'eau
salée des larmes, le sang blanc de l'amour, les
boues et les excréments du corps. Je m'irritais
que l'homme disputât de libre arbitre au lieu
de peser les mille obscures raisons qui vous
font ciller si j'approche un bâton de vos yeux.*

MARGUERITE YOURCENAR, *L'Œuvre au noir*

Hôtel Petit Pays.

Le gardien s'est réveillé pour réveiller le réceptionniste.

– Oui, monsieur.

– Chambre 314, s'il vous plaît.

– Oui, monsieur.

Le réceptionniste pose sur moi les yeux d'un paysagiste qui débroussaille un taillis du regard. Le temps passe. La pendule sonne deux coups dans la nuit.

– Je voudrais la clé de la chambre 314, si ça ne vous dérange pas.

– Vous êtes parti tantôt.

Il semble attendre une réponse. Un temps pendant lequel j'ai cru que la pendule allait sonner le quart. J'acquiesce au hasard.

– Oui, je suis parti tantôt.

– Vous êtes parti avec la clé.

– Avec la clé ?

– Chambre 314, vous êtes parti avec la clé.

– Je n'ai pas laissé la clé en partant ?

– Hier soir, oui. Mais pas tantôt. Non, monsieur. Pas quand vous êtes parti avec vos amis les artistes.

Maïs était venu me chercher avec un groupe de reggae percussion dénommé Cantankerous, qu'il avait réussi à faire embaucher cinq soirs de suite au Couvent des Vierges folles. Ce qui lui vaut de se présenter désormais comme producteur en chef, sous le nom de Masta Blasta.

Depuis mon retour, je n'ai pas pu retourner dans le quartier Vieilleville. C'est Maïs qui m'a dit que le Couvent des Vierges folles n'avait pas fermé, même pendant la guerre, qu'un bar sur deux n'avait pas fermé pendant toute la durée de la guerre, que la brasserie avait continué à fonctionner à plein régime. On raconte que les belligérants, de quelque bord qu'ils étaient, une entente secrète les liait pour ne pas toucher aux installations de Van Alstein Brasseurs père et fils depuis 1907, et ne pas malmener les bars.

Des factions opposées de pilleurs et fauteurs de carnage avaient réussi à respecter cet accord, le seul, non signé, et à sauver les bars de quartier par consentement mutuel.

On pense à ce puits merveilleux entre deux tranchées durant la première guerre mondiale, un puits dont des soldats ennemis, français et allemands, avaient fait usage sans se tirer dessus à l'heure de la corvée d'eau.

Ici aussi, on n'a pas négligé cette figure imposée dans les récits guerriers : la fraternisation momentanée avec l'ennemi. Ici aussi, on a cotisé ce denier du merveilleux que tous les souvenirs de guerre cotisent dans le panier de l'histoire, pour ne pas désespérer les enfants de demain, pour faire croire à un résidu émotionnel d'humanité qui ne s'en va pas avec le sang versé.

J'ai retrouvé le Couvent des Vierges folles dans un décor où les palissades d'autrefois et les murs de flamboyants ont laissé place à un champ ensauvagé par de grosses carcasses métalliques sortant du sol. Des canons de tanks profondément ensablés, émergeant par le flanc, ou par le cul vertical. Des camions réduits à l'état de cages crachant leur intérieur comme des coléoptères écrasés. On aurait dit des squelettes de gros mammifères ferrugineux émergeant d'anciens fonds marins, mille ans après le retrait des eaux, et qui n'en finissent pas de remonter imperceptiblement.

– Vos amis les artistes, dit le réceptionniste. Quand vous êtes partis tantôt avec vos amis les artistes.

– Je n'ai.

– Pas laissé votre clé à la réception, chambre 314, non.

Le sourire du gardien semble lui démanger les lèvres. Il lève la main à hauteur de sa bouche, deux doigts triturant les commissures comme pour gratter le sourire et reviser les lèvres.

– Il y a quelqu'un dans votre chambre.

– Quelqu'un dans ma chambre?

– Vous n'avez pas laissé votre clé à quelqu'un?

– Quelqu'un dans ma chambre?

111

– Ce n'est pas un de vos amis les artistes.

La démangeaison du sourire à nouveau pressant fré-nétiquement la moustache du gardien contre la lèvre du bas.

– C'est une mariée.

– Une mariée ?

– Une femme en robe de mariée. Vous n'avez pas donné votre clé à une femme en robe de mariée ?

J'ai couru vers l'escalier. Un flot d'images soudain libérées en vrac par je ne sais quelle poche du cerveau : le quartier Vieilleville éclairé par un restant de lune, l'arrière-boutique du Couvent des Vierges folles, une courette où la moitié de la ville va priser de la poudre noire, cette mélasse, disent les gens.

« Cette mélasse. »

Cette poudre composite, faite de médicaments chapardés dans les gros camions en route vers « les zones sinistrées », protégés par un bouclier de sigles. La coutume des trafiquants veut qu'ils poussent leurs sœurs et leurs cousines dans les pantalons des chauffeurs, et qu'elles leur fassent baisser, en seul coup, la garde pendant qu'on chaparde. Quantité de médicaments qu'on ramasse par poignées, par paniers, par sacs entiers, que des apothicaires de fortune, anciens étudiants en chimie retardés par la guerre, mélangent à du tabac moulu dans la discrétion de leurs fioles, assaisonnent à la poudre de noix de kola séchée et de fourmis rouges broyées.

«Cette mélasse», disent les gens avant de se l'attraper au travers des narines. Et de l'appeler Consolation.

Je revois la robe de mariée traîner et flotter à travers les groupes assis sur des tabourets ou des troncs d'arbres. J'entends la voix appuyée d'un vibrato de la glotte.

– Qui cherche quelqu'un parmi les morts ? Qui veut parler à ses morts ? Cent francs la communication. Et dans la fumée de ma pipe je vous lis l'avenir en bonus. Je m'appelle Xhosa-Anna ou La Perla.

Elle était dans cette robe pareille à ces plantes qui, pour se défendre, se costument de couleurs théâtrales où le prédateur lit la présence du poison.

Je la revois, la pipe accrochée à la bouche par les dents, s'installer à côté de moi, et je me revois, troublé par le bluff de ce costume.

– Dans la fumée de ma pipe, je vous lis l'avenir en bonus.

J'ai répondu que je n'en avais pas fini avec le présent. Ou plutôt :

– Pas de place pour l'avenir.

C'est plutôt ça que j'ai dit, les yeux fixés sur la profusion des lèvres malaxant et mouillant négligemment le tuyau en bambou.

– Tu es un revenant.

– Je ne suis pas mort.

– Menteur.

114

– Je ne suis pas mort.

– Le revenant, il ne se souvient plus du récit de sa mort.

– Menteuse.

– Le revenant, il croit qu'il est dans la mort. Mais quand il ouvre le livre des morts, sa page est blanche.

Une histoire me revient en mémoire pendant que je suis à mi-parcours, au moment où j'ai attaqué les premières marches du quatrième étage.

C'est un homme qui entre un jour au Couvent des Vierges folles, son attention immédiatement attirée par une jeune fille qui cache son regard derrière des lunettes noires. Il l'aborde, danse avec elle, la trouve belle, la retrouve au bar, boit avec elle, elle n'enlève pas ses lunettes noires, parle avec elle, flirte avec elle, elle n'enlève pas ses lunettes noires.

Ils se transportent à l'hôtel. Ils vont faire l'amour, elle est nue. Elle n'enlève pas ses lunettes noires. Ils se font des mamours. Il lui fait des « ma mouette, ma mouette, ma jolie mouette ». Elle n'enlève pas ses lunettes noires.

L'homme se couche, fait semblant de dormir, attend qu'elle s'endorme. Elle s'endort. L'homme se lève, arrache les lunettes noires.

Il pousse un cri. Elle a deux trous noirs à la place des

yeux. Il se jette sur la porte. Elle se jette sur lui. Il lui met la porte dans les narines. Il s'échappe. Elle le course. Il crie. Elle crie. L'hôtel est vide, la cour, les paillotes aux portes claquant au vent, vides. Il crie : « À la Menace, à la Menace. » Elle crie comme un fauve qui feule. Elle gronde maintenant. Le quartier est vide/les habitations/les fenêtres fermées/les rues écrasées sous le sable. On entend gronder la Menace/On l'entend gronder à présent/Non/C'est un bruit de moteur/ Il se retourne/Chance, un taxi !/Il agite ses grands bras/Miracle, le taxi qui s'arrête !/Il se jette/Il s'étale/ La portière/Claque !/Le dos du chauffeur imperturbable/Où on va/Droit devant, droit devant, jusqu'à plus carburer. Droit devant/Ça roule.

La menace est loin. On n'entend plus que le grondement du moteur.

Le chauffeur : « Quelle mésaventure te mène ? »

L'homme : « Bu, parlé, couché, dansé/collé/serré avec deux trous noirs cachés par des lunettes noires. » Il dit encore : « Méfie-toi de ta sœur, si tu ne sais pas pourquoi, elle sait pourquoi. » Il dit tout ça et le chauffeur arrête la voiture, coupe le moteur, se tourne vers lui. Et il n'a que le temps d'apercevoir une paire de lunettes noires.

Chambre 314. La porte. Le bruit de la clé dans la serrure.

– Il est tard maintenant.

Un pan de la robe de mariée. Puis le fourneau de la pipe en terre cuite. Le tuyau en bambou. Les lèvres autour. La tête. Xhosa-Anna ou La Perla. La main sur la poignée me faisant croire qu'elle pourrait s'en aller aussitôt et refermer derrière elle sans autre explication.

– J'ai retrouvé ta clé. Tu t'en fous de dormir. Il est tard maintenant.

– Il est tard.

– Pour moi.

– Oui, il est tard.

– Pour moi. Pour rentrer.

– Oui, il est tard pour toi.

– Parfois, je suis comme l'huile. Si tu me chauffes, je bous, et attention les yeux. Parfois, je suis comme l'eau. Si tu me chauffes, je bous, et puis je deviens gaz et plus rien.

– Oui, il est tard pour rentrer.

– Je pourrais te dire l'avenir pour passer le temps. Je pourrais te dire l'avenir dans la fumée. Ou dans la paume de ta main si la fumée te dérange.

– Je ne me souviens pas d'un avenir dans la paume de ma main.

– Fais voir.

– Il n'y a pas d'avenir dans la paume de ma main.

Elle m'a pris la main, s'est assise sur le lit en m'entraînant, a retourné ma main contre la paume de son autre main.

– Qu'est-ce que tu es venu faire ici ?

– C'est toi la voyante.

– Le temps ne passerait pas vite si j'étais seule à parler. Qu'est-ce que tu es venu faire ?

Je lui ai montré une vieille affichette que j'ai retirée de la valise glissée sous le lit : la photo de famille de la troupe que nous avions créée, Asafo Johnson, Mozaya et moi, en nos années d'étudiants. Au-dessus des têtes, on voit des cercles renfermant les signatures des acteurs, reliées par des flèches aboutissant à une oreille, à un nez, à un œil, à la pommette d'une joue, aux dents carnassières débordant d'une bouche bée. La danse, au-dessus des têtes, de ces phylactères ornés de blasons, faisant penser à des personnages de bandes dessinées reliés par des fils de rêve à de lointaines auréoles.

Elle m'a retiré l'affichette des mains.

Elle s'est mise à lire. Elle est debout :

– « Par permission de Messieurs les Notables, Mesdames et Messieurs, le Théâtre des Pièces à Conviction qui fait les menus plaisirs et les animations de la ville sera au quartier Lamentin le samedi 27 avril pour un grand spectacle avec danses et ballets, sur une idée originale d'Asafo Johnson, poète… »

Je lui montre Asafo Johnson.

– C'est celui-là que je viens chercher.

– Celui-là.

Je lui montre Mozaya et je lui raconte les nuits que nous passions à jouer les chroniqueurs de la vie quotidienne au temps où la vie était miraculeusement quotidienne.

D'une voix éloignée, elle me parle sans lâcher la photo des yeux, paraissant communiquer plus volontiers avec mon image qu'avec ma personne vivante.

– Et ça ressemble toujours à une amitié?

Je lui raconte les nuits que nous avions passées tous les trois au Couvent des Vierges folles à tracer les plans d'un tas de livres que nous n'écririons jamais (*Comment être fou sans tomber malade*/*La vie, l'œuvre et l'enseignement des grands prophètes: de Moïse à Saint-Exupéry*, etc.).

– Et ça ressemble encore à une amitié.

Je ne réponds pas.

– Il y a des chances?

– Quelles chances?

– De retrouver ton ami.

– J'ai eu l'adresse hier.

– C'est où?

– Riviera I.

– Province du Ciel.

– Oui.

Depuis le toit de l'hôtel Petit Pays, depuis les lointains escaliers, avec des battements de hauts talons, l'amour vient s'annoncer aux portes qui se signalent encore par une raie de lumière, et siffle à travers les dents et la serrure – un chiffre –, l'amour est un chiffre qui se dit sur le ton secret d'un oracle, avec des accents contrefaits de fillette.

Xhosa-Anna ou La Perla étale des pans de sa robe sur le lit.

– Tu t'en fous de dormir. Tu es un revenant.

Je me laisse aller à parler, peut-être à cause de la poudre noire de la Consolation, toute la mélasse que j'ai respirée dans la nuit, la mélasse qui colle au fond de la gorge qu'on décape à l'alcool sec, je me laisse aller, à parler, à raconter cette impression que je connais bien, cette impression d'être sur une barque qui s'éloigne de la rive et d'être en même temps cet homme debout sur la même rive, et qui regarde la barque s'éloigner, d'être le même homme qui se dissipe des deux côtés de l'horizon. Cette impression de me perdre de vue, d'être perdu sans boussole dans les parages de moi-même. Je ne parle plus.

Elle m'écoute encore.

C'est l'heure où le bruissement compact et rugueux de la nuit se disloque et s'inflitre par petits jets à travers le couloir et la fenêtre. Xhosa-Anna ou La Perla, sa gorge qui remue. Elle chante doucement.

On entend à travers la fenêtre la voix des motards ambulanciers ATTENTION LA DOULEUR PASSE ATTENTION LA DOULEUR se relayant dans le même lamento, se frayant à travers les éclaircies d'une foule prématinale dont on ne sait pas si elle est aux abords du réveil ou du sommeil, une foule qui ne se gare pas, qui ne se range pas, qui se fige au passage de la douleur, si pesamment qu'on dirait une forêt molle.

Je regarde dormir Xhosa-Anna. Ses yeux ne sont pas complètement fermés et j'ai l'impression qu'ils me fixent avec la même ardeur qu'ils avaient tout à l'heure pendant qu'elle disait : « Le passé est devant nous. Le futur derrière. Le présent, c'est la tranquillité plus ou moins grande avec laquelle nous traversons l'apocalypse. » Pendant qu'elle mettait en boucle ces paroles, poussant un mot après l'autre, dans une mélodie erratique.

Je me surprends à opposer une résistance intérieure à la fixité de ce regard, une crispation inquiète de la volonté que déclenche la peur d'être hypnotisé. J'ai attrapé sur la table de nuit le petit carton que m'a remis hier l'homme de l'Agence Fructueuse, en échange de la moitié de mes économies et de mon appareil photo, inusité depuis mon arrivée :

ASAFO JOHNSON

INSTITUT FREE SPIRIT

Coach – Section Littérature vivante

Riviera I – Province du Ciel

« Une journée de route », m'avait dit Maïs, expliquant des détours imprévisibles qui rallongent les distances, des contours de zones que l'on dit non encore sécurisées.

Il m'a arrangé, frère ami, un plan gratuit : David Watson, un bénévole américain qui se rend régulièrement à Riviera I, au Sanatorium où l'on fait dessiner les enfants. Il emmène dans sa Jeep la totalité du groupe Cantankerous accompagné de l'impresario soi-même qui me parle comme il a parlé de moi à David Watson. Il lui a dit : « C'est un frère ami, je jure sur ma personne. Il y a toujours une place pour un frère ami. Tu n'es pas là pour t'amuser, je sais, je capte. Y a pas gri-gri quand c'est un don de naissance. »

Xhosa-Anna ou La Perla se réveille. Des éclats de miroir dans les yeux quand elle m'a regardé. Elle s'étire, se tend et se détend, allume sa pipe, grésille et se lève, m'embrasse dans la fumée en continuant de mordre le tuyau en bambou.

Elle dit :

– Tu es nu.

Et disant cela, elle a grelotté de rire. Sa gorge.

– Toi aussi, tu es nue.

Elle dit :

– C'est la première scène du paradis. Adam et Ève mangèrent le fruit. Leurs yeux s'ouvrirent et ils virent qu'ils étaient nus. « Tu es nu », dit Ève à Adam. « Toi aussi », répondit Adam à Ève. Et ils éclatèrent de rire. Et le rire attira la colère du Dieu jaloux.

Elle s'habille dans la fumée. Elle fait tourner la fumée sur elle-même comme une toupie dans l'air.

– Tu vas retrouver ton ami à Riviera I. Tu fais quoi après ?

– Je retourne dans le Nord.

– C'est mieux pour toi là-bas ?
– Oui.
– Tu as une situation là-bas.
– Une situation, comme on dit.
– Une voiture ?
– En panne.
– Un salaire ?
– Je dois reprendre le travail avant la fin du mois.
– Une situation quand même.
– Oui.
– Une maison.

J'ai décrit l'intérieur de la chambre que j'occupe à Nord Gloria. J'ai décrit les murs chargés de posters de champions de boxe : Jack Johnson, Sonny Liston, Frazier, Foreman, Ali. J'ai imité la grande gueule de Mohamed Ali, le Champ, l'artiste du K.-O.

– Tu fais de la boxe ?
– Avant. Quand j'étais étudiant.

J'ai imité le regard de fauve et la bouche de menace.

Xhosa-Anna ou La Perla s'est laissé tomber sur le sol, les bras en croix. Moi, immobile au-dessus d'elle, faisant le regard menaçant et les lèvres fauves. Et si quelque sortilège survenait et nous transformait en ces statues de cire auxquelles nous essayons de ressembler, des générations futures auraient à méditer la forme la plus achevée de violence conjugale dont nous étions l'illustration : la femme assommée portant encore sa robe de mariage. L'homme nu, les poings serrés, la victoire qui bave dans le regard.

– Xhosa-Anna ou La Perla. C'est la mode chez les filles les prénoms finissant par *a* ? Julia, Malfada, Gabriella, Fiona, Vicencia.

Elle dit qu'elle est une vraie actrice, elle, et non pas « simulatrice vidéo ». Une vraie actrice depuis le lycée. Elle se lève pendant qu'elle raconte ça.

Elle dit qu'elle a arraché cette robe de mariée de la vitrine défoncée d'un magasin lors des émeutes qui avaient marqué les premières vagues de retours. Elle bouge le portant jusqu'au milieu de la pièce. Le portant sur roues dont j'avais recyclé les tringles en présentoir à journaux, petits rideaux de papier au repos.

Elle dit que cette robe, sa peau ne la quitte plus, même en rêve.

Elle fait tellement actrice dans cette robe, pas vrai ? Elle a poussé la table de nuit contre le portant, s'y est assise et prend maintenant la pose d'une de ces déesses ou grâces qui illustrent les manuels de lecture, au chapitre des mythologies.

– Tu pars quand pour chercher ton ami ?

– Après-demain.

– C'est une folie après-demain. Trop tôt, après-demain. Tu n'as pas le temps de savoir si tu m'aimes. Je ne sais pas si je ferme les yeux sur cette folie.

Je lui dis que demain soir je dors chez un ami de Maïs.

Elle ne m'écoute pas. Elle continue :

– Je ferme les yeux sur cette folie. Mais je ne t'adresse plus la parole pendant une minute.

Un temps.

Je lui parle de l'ami de Maïs avec qui je fais le voyage.

– Il s'appelle comment ?

– David Watson.

– Je ne le connais pas, mais je connais Marlène.

– C'est qui Marlène ?

– Celle qui m'a parlé de David Watson. Elle travaillait avec les filles maudites, mais son association a fermé récemment. Demain tu vas dormir seul.

– Oui.

– Et aujourd'hui, tu as besoin d'être seul ?

– Non.

– Tu vas faire quoi ?

– Pousser jusqu'au quartier Lamentin.

– Tu vas faire quoi au quartier des armements ? Tu as besoin d'un flingue ? Tu n'es pas là pour t'amuser ?

– C'est toi, la voyante.

Quartier Lamentin. Le regard glisse sur le racolage de panneaux publicitaires, hissés aux flancs branlants d'une chaîne de décharges : VAN ALSTEIN URBA / VAN ALSTEIN SIGNALISATION / VAN ALSTEIN TRANSPORTS / VAN ALSTEIN COMMUNICATION. Et, au bout de la chaîne, on voit un immense panneau, dont le fond est tramé de plusieurs milliers de minuscules bambous, en réalité l'image du même petit bambou reproduite à l'infini, d'un vert captivant, où l'on peut lire : CET ESPACE VERT VOUS EST OFFERT PAR LA VAN ALSTEIN FOUNDATION.

Une proposition visuelle de la méthode Coué CET ESPACE VERT VOUS EST OFFERT par la répétition incantatoire du même bâtonnet vert tassé contre le même bâtonnet vert, pour que disparaisse aux yeux de tout le quartier les signes extérieurs de souffrance. Le panneau, lui-même porté par deux poteaux plantés de part et d'autre d'une impasse encombrée, est un simulacre d'arc de triomphe avec la décoration de larges branches de palmier rapportées de l'intérieur du pays, une rue vert-de-gris malaxant la cendre des dépotoirs, strates de boue partout répandues sur la terre encore molle des dernières pluies CET ESPACE VERT VOUS EST OFFERT et alors.

Alors le quartier tout entier projette ses rêveries nouvelles-nées, s'imaginant que des plans sont déjà dessinés, où l'on prévoit des haies fleuries et des espaces vert bambou peuplés de balançoires, des allées vertes remplies de bancs pour faire grouiller le déballage des contrefaçons d'art régional antique, gros et demi-gros, vieilli à la pisse et au sang de bœuf.

Les premiers bambous qu'on a plantés ici, me dit Xhosa-Anna, ont déjà dépéri. Alors qu'ils avaient poussé jusqu'à faire toit, légèrement au-dessus d'une taille humaine, ils s'étaient soudain, en une semaine, recouverts de floraison blanche : c'est un nom de maladie, avaient dit les spécialistes qu'on avait empruntés à la télévision vietnamienne, quand les bambous fleurissent, c'est qu'ils maigrissent, comme s'ils perdaient leur sang et maigrissaient pour mourir. Cette poussée de fleurs, ça tue les bambous, le ton de l'écorce tournant au jaune fièvre. Le drame que ç'aurait été pour les pandas s'il y en avait eu par ici, parce que lorsque les bambous fleurissent, les pandas meurent aussi, me dit Xhosa-Anna qui l'avait entendu dire.

Quand nous nous sommes retrouvés au cimetière, je n'ai pas pu aller jusqu'à la tombe de Petite Tante. Dès l'entrée, et sur toute la longueur de l'allée, à la place des croix, foultitude de piquets portant de petits rectangles

131

sur lesquels on peut lire : CETTE CONCESSION FAIT L'OBJET D'UNE REPRISE ADMINISTRATIVE. PRIÈRE DE S'ADRESSER AU BUREAU DE LA CONSERVATION.

Nous avons suivi une cohorte de femmes répétant un catalogue sans fin de noms, des noms de morts et de disparus. Les Pleureuses, on les appelle. On en voit de plus en plus, cheminant de quartier en quartier, occupant les places publiques.

Une d'entre elles est accompagnée d'une demi-douzaine de chiens de toute taille, et on aurait dit qu'elle faisait chanter les chiens. Les appels aigus qu'elle lançait depuis le fond de la gorge avoisinaient l'aboiement libéré d'un chiot. Et les chiens, quand ils lui répondaient en une chorale explosée, si leur voix semblait rieuse, c'était parce que les sons qu'ils faisaient, on les aurait dits de langue humaine.

VI

L'alignement impeccable des pavillons est interrompu de temps à autre par des empilements de briques autour de trous géants. On voit des excavatrices danser dans des tranchées, la chorégraphie de marteaux articulés qui poussent dans la terre des pieux immenses, les allers-retours de camions benne qui déroulent le tapis de sable, un escalier en bois victorieusement suspendu dans les airs au filin d'une grue.

David Watson habite le quartier Bougainvillées où des entreprises humanitaires, liées à de grandes figures contemporaines de la charité, côtoient des clubs de personnes élégantes, et localement distinguées dans le domaine du spectacle, des arts et des affaires sociales.

Toutes les villas exhibent des pancartes où le dessin dissuasif d'une arme de poing ATTENTION FIRE RESPONSE a remplacé l'image du bon vieux chien méchant qu'on accrochait autrefois aux grilles, le berger allemand qu'on ne voyait jamais prendre l'air dans les rues d'ici, qui n'existait que sur les pancartes. Et cette invisibilité même distillait un sentiment de peur que la présence réelle, disons par-dessus le mur, poils et gueule au vent, aurait moins intensément provoqué.

Le gardien m'ouvre la porte. Les yeux sur ma valise.

– C'est pour la soirée ou c'est pour vendre des masques?

Je n'ai pas bougé pendant un instant, pendant que ça me revient, cette impression que je connais bien, cette impression d'être sur une barque qui s'éloigne de la rive et d'être en même temps cet homme debout sur la même rive, et qui regarde la barque s'éloigner, cette impression de me perdre de vue.

– C'est pour la soirée ou c'est pour vendre des masques?

Le gardien parle en s'agitant, la main accrochée à la poignée, ses mots n'arrivent plus jusqu'à moi. C'est le grincement du portail plutôt que le bruit des mots qui m'a ramené à moi-même, ou plutôt dans les environs de moi-même : comme lorsqu'on se réveille d'un rêve sans en être complètement sorti, le corps encore emmêlé dans des gestes irréels – Je suis là, je suis là, je suis là, mais le corps se méfiant de lui-même comme d'un leurre – Je suis où... je suis quand... attendant le brusque déchirement du voile qui remet en boucle le temps de l'habitude.

Le temps de l'habitude : où je me vois en train d'écrire à Mozaya parce que je peux l'imaginer vivant et riant à la lecture de la lettre que je suis en train de lui écrire : «Je jure que je n'attendrai pas, la prochaine fois, je n'attendrai pas d'avoir reçu trois lettres pour te répondre en bloc. »

Le temps de l'habitude où la prochaine fois existe, la prochaine fois existe où je pourrai prendre du retard pour répondre à des nouvelles de bonne santé, de vie monacale faite de silence et d'amour avec cette fille sourde et muette échappée à un convoi peul.

Et dans ce temps, rien ne serait arrivé qui justifie que je sois ici. Rien ne serait arrivé, se dit le revenant, rien qui m'ait conduit jusqu'ici, dans ce temps chaotique où je ne sais plus ce que veut dire l'habitude de vivre.

– Bienvenue.

Rien qui m'appuierait ainsi dans le dos jusque dans ce salon où des bouteilles de spiritueux et des inconnus circulent d'une table à une autre, jusqu'à celle où je prends place à côté de Marlène qui détourne le regard.

– Miss Marlène, je te présente.

– Ne me regardez pas, monsieur.

Le regard de Marlène est triste. Elle dit ça.

– Ne me regardez pas, monsieur. Depuis plusieurs jours, j'ai l'aii de quelqu'un qui pleure.

Elle dit ça pendant une heure, puis s'en est allée, embarquée par un groupe d'invités qui a traversé bruyamment le salon en direction du grand jardin plein de citronniers derrière la maison, où Maïs et sa bande de Cantankerous ont fait un feu pour chauffer la peau de leurs tambours, et on les entend chanter *I am a stepping razor/Don't you watch my side/I'm dangerous/Dangerous.*

Une multitude de voix se joignant à eux dans le jardin *I am a stepping walking razor,* de sorte que même Marlène, on entend son soprano sautiller jusque dans le salon, devançant ou rattrapant le chœur, et on ne peut pas s'empêcher de l'imaginer traversant sa tristesse à présent au pas de polka piqué sur un air martelé de reggae.

David Watson. Il fait partie des artistes américains qui travaillent avec les enfants errants du Sanatorium à Riviera I. Une association d'art-thérapie sans frontières, qui avait commencé par faire ses preuves dans le Bronx. Une histoire américaine, donc.

– Je vous raconte une histoire américaine, dit David Watson.

À l'époque où se déroule l'action, le pharmaco-lobby qui disputait à l'industrie du tabac le marché-trottoir de l'angoisse ordinaire, comme les dealers se disputent les lampadaires, le pharmaco-lobby finança la double élection de George Washington Bushman. Et sous son règne, des lois furent votées obligeant la population à subir des tests de maladies mentales. On découvrit que 5 à 9 % des enfants américains souffraient de troubles psychiques sérieux. On écoula beaucoup de médicaments pendant que les tests s'affinaient pour augmenter le pourcentage de malades et la taille du profit.

C'est ainsi que des enfants qui n'avaient pas dix ans portaient déjà sur leur corps les stigmates de l'abondance, le corps exprimant par la mauvaise graisse le sentiment de richesse généralisée, ces enfants, tombés à la naissance dans l'amour des armes par la vertu des lois, étaient désormais, par la vertu des mêmes lois, « shootés aux psychotropes ».

L'association Art versus Violence avait fait donc ses preuves dans le Bronx, avant de s'ouvrir à toute l'Amérique, avant de s'implanter ici pour tenter de calmer les symptômes de l'enfance guerrière, au Sanatorium des enfants errants : sept-huit ans... dix ans, et déjà anciens coupeurs de routes et de gorges revenus des lianes, anciens pilleurs, hier encore dispersés dans des factions forestières, aujourd'hui perdus au ras du trottoir – Têtes d'obsèques, on les appelle –, perdus comme les balles pareillement désignées, qu'on collecte à présent dans les champs, qu'on va remettre dans des lieux prévus pour ce programme de collecte, en échange de la pièce ou d'une mixture riche en fruits.

Et il n'y avait ni pièce ni mixture riche en fruits prévue pour récompenser le ramassage de ces enfants de la prédation. Il n'est pas rare de les voir sécher à l'air sec avec les lézards.

On vient d'annoncer à tue-tête la pénurie du papier fin pour poursuivre la pratique collective de l'automédication, la consommation de la fumée endiablée, la fumée de l'herbe pure, qui fait voir en un seul flash les quatre coins de l'horizon, et son nom local se traduit par « poils du cul de la terre ».

L'annonce a fait le tour du salon avant de s'évader par la fenêtre, avec la complicité de quelqu'un qui l'a guidée jusqu'au cercle de musiciens dans le jardin, où l'un des percussionnistes, l'ayant attrapée au vol, s'est ramené avec le Nouveau Testament de poche, traduction Louis Segond, version homologuée et régulièrement distribuée par le Christ Council for World Evangelisation sur les trottoirs, à la sortie des écoles.

– Papier bible, dit-il, en arrachant trois pages au hasard.

Une jeune dame dit qu'elle a le hoquet, rien qu'à voir une chose pareille se produire de son vivant. Le percussionniste lui raconte que le prophète Jean de l'Apocalypse eut la vision d'un ange qui lui tendait un petit livre pareil à celui-ci, et lui dit de le manger. Ce que fit le prophète. Il mangea le petit livre.

– Alors, si le prophète peut manger le livre, nous pouvons le fumer.

Quelqu'un dit Alléluia. Quelqu'un le prie de faire attention. Quelqu'un dit que Jean de l'Apocalypse ne peut pas être appelé prophète, parce que là, lui, il n'adhère pas du tout parce que là, pour lui, il n'y a jamais eu aucun prophète après Jésus-Christ. Ce à quoi quelqu'un réagit vivement en disant que parfaitement, parfaitement, et s'empresse de dérouler un catalogue où l'on reconnaît des prophètes comme Kibamgu, Matsouan, Baha'ullah, Raël, Maitreya, Joseph Smith, et d'autres encore.

Quelqu'un dit qu'on ne pouvait être ni messie ni prophète avant d'avoir revendiqué au moins un miracle. Quelqu'un veut savoir ce qu'on entend par miracle exactement, parce que là, lui, attention, il n'arrive pas à adhérer.

Dans l'air enfumé du salon, les mots se brutalisent et s'agglutinent par grappes de véhémence. Et la jeune dame dont les propos sur le hoquet avait ouvert la voie aux inimitiés, se sentant probablement coupable, tente de calmer l'assistance hérissée en distribuant à gauche, à droite, par ici, par là-bas, des froncements de sourcils et une austérité judiciaire appuyée d'une voix de Commandante.

– Respect des croyances.

Comme si elle blâmait quelque turbulence de potaches en distribuant au hasard des coups de sac à main sur les têtes. À gauche. À droite. En cercle.

– Respect des croyances. Respect des croyances.

Quelqu'un vient de dire quelque chose sur l'incohérence de ceux qui proclament leur foi dans la toute-puissance d'un Dieu dont ils sont prêts à défendre l'honneur au couteau de cuisine.

– Respect des croyances.

– Le ridicule ne tue pas, sauf les dieux et les prophètes, peut-être.

La jeune dame cherche un appui du regard et tombe sur un homme debout à l'autre bout de la salle, sur le point de parler depuis un moment. Toute l'assistance l'entend dire qu'il est capable de démontrer dès demain, preuves à l'appui, que l'empereur d'Éthiopie Hailé Sélassié – Grâces soient rendus à son nom – est un messie ambassadeur des extra-terrestres. Et qu'à ce titre il n'a pas pu mourir comme le prétend la désinformation depuis plusieurs décennies.

Quelqu'un lui répond que les révolutionnaires rouges d'Éthiopie avaient mis à bas le Trônant depuis longtemps, et avaient constaté cliniquement son décès.

Mais ni la vérité clinique, ni la vérité historique sur les dernières heures de Sa Maigre Majesté n'ont suffi à désarçonner l'homme qui jure maintenant que le corps qu'on avait mis sous terre était celui d'un clone mortel de Son Immortelle Majesté.

Cinq minutes plus tôt, le salon était plongé dans un pépiement vaguement ennuyeux dans lequel David Watson avait tenté sans succès de nous lire une autre histoire américaine. Le livre est encore ouvert sur la table : *Lipstick Traces, une histoire secrète du vingtième siècle* :

> Quiconque souhaiterait assister à un concert des Jacksons devait acheter, par la poste, pas moins de quatre tickets, pour une somme de 120 dollars, sans assurance que la commande déboucherait sur une entrée, puisque six commandes étaient attendues pour chaque ticket disponible. Ce qui signifiait que, dans l'intervalle de temps nécessaire pour rembourser – moins les frais de dossiers – ceux qui auront perdu, l'argent serait investi sur le marché à terme, et tous les intérêts accumulés reversés aux Jacksons. Partout dans le pays, les gens devenaient joyeusement effrayés par des tickets qu'ils ne pouvaient pas s'offrir. Des tickets qu'ils pourraient n'être pas en

mesure d'acheter, même s'ils pouvaient se les offrir. Des tickets qui, alors que le processus d'humiliation et d'excitation était en marche, n'étaient même pas en vente.

La différence entre une histoire américaine et une histoire belge, se dit le revenant, c'est que l'histoire américaine est une histoire vraie.

– Vous ne dites rien, vous, monsieur. Vous ne dites rien, vous, monsieur.

J'ai mis un temps pour comprendre que je suis la cible de la voix de Commandante, qui n'en a pas fini d'agiter son Respect des croyances.

– Vous ne dites rien, vous, monsieur.

– Je suis un homme de peu de foi, madame.

– Vous n'avez pas de point de vue ?

– Le point de vue d'un aveugle, madame. Un aveugle de naissance.

– C'est vrai ?

– Ça ennuie un aveugle de regarder le ciel, madame.

– C'est vrai ?

David Watson qui cherchait depuis un moment le moyen de détourner la conversation saisit l'occasion pour glisser une autre histoire américaine.

Dehors, dehors, se dit le revenant.

Nez à nez avec Marlène au fond du jardin, derrière la cabane à outils. Elle me tend sa bouteille d'alcool et un sachet de poudre noire dont elle a déjà prisé la moitié.

J'éprouve immédiatement la brûlure sombre de la mélasse qu'on s'enfonce dans les narines et qu'on appelle par son nom intime de Consolation. Les mots de Marlène m'arrivent très lentement. J'ai l'impression non pas de les écouter mais d'en glaner d'infimes traces, longtemps après leur passage.

– Voilà. Je vais te dire comment je suis. David Watson m'a dit : « Tu viens avec nous ? Ça va te changer les idées. » Ça ne me dit plus rien, changer les idées, je lui ai dit. Ça ne me dit plus rien, changer les idées. David Watson m'a dit : « Tu viens avec nous à Riviera I ? » J'ai répondu non. Et puis voilà, j'ai changé d'avis. Voilà comment je suis. Je suis comme la clé. Elle tourne dans un sens, elle tourne dans l'autre. Ouvrir ou fermer, elle ne sait pas ce que c'est. Elle ne s'en préoccupe pas. Elle tourne dans un sens puis dans l'autre, c'est tout. J'ai changé d'avis. Je pars avec vous demain.

– Bien.

– Je vais rejoindre un homme là-bas.

– Bien.

– Je vais le rechercher. Je vais le trouver. Je vais lui dire : Je suis enceinte, voilà comment je suis.

– Bien.

– Toi aussi, tu vas rejoindre un homme là-bas.

– C'est une autre histoire.

– Je vais te montrer quelque chose. Je vais te montrer quelque chose. C'est un cadeau pour lui. Toi qui es un homme, il faut que je te montre.

Elle m'a fait faire le tour de la cabane.

Elle a ouvert la porte et elle n'a plus bougé. La nuque raide laissant deviner la fixité de son regard sur quelque chose que je ne peux pas voir. Jusqu'au moment où j'ai compris qu'elle s'absentait, jusqu'au moment où elle n'a plus tenu debout. Et je l'ai retenue par les épaules pour l'asseoir par terre.

J'ai vu à ce moment l'engin. Un berceau en bambous comme en fabriquent les menuisiers d'ici. Une bande de tissu fleuri fait, aux trois quarts, le tour de la caisse, accrochée par des punaises. À côté, un sac en plastique, des rubans et encore d'autres tissus fleuris. À côté, une valise avec des autocollants : la disposition d'un rébus où ses yeux encore ouverts semblent lire un oracle bienveillant :

– Je vais le rechercher. Je vais le trouver. Je vais le

147

laisser me regarder. Je vais lui dire : Touche, il y a du lait dans mes seins. Toi aussi, tu recherches quelqu'un, on me l'a dit.

– Ce n'est pas la même histoire.

– Tu vas le trouver, et qu'est-ce que tu vas lui dire ?

– Je vais lui dire.

– Oui, mais. Tu vas lui dire. Tu vas lui dire.

C'est comme ça que son rire est arrivé. Elle n'a pas arrêté de rire et de répéter « Toi aussi, tu vas lui dire », elle n'a pas arrêté de déchiqueter la phrase avec les zigzags de son rire hoquetant entre les syllabes qu'elle ponctuait de pfff et de krrr-hi, de krrr-ha, de sorte que son corps, à la fin, projetait des sons qui n'étaient plus d'aucune articulation humaine, semblables au bruissement que certains saxophonistes proches des oiseaux peuvent déclencher dans le corps de leur instrument.

VII

La Province du Ciel avait été pendant longtemps un ramassis de hameaux éclatés, séparés par de vastes pacages, des palmeraies et des plantations de bananiers. Jusqu'au jour où Celui qu'on appelait le Suprême Régnant décida d'y installer un château qu'il avait acheté en France, et fait démonter pierre par pierre, afin de le reconstituer entre deux villages oubliés, sur le Grand Plateau où l'on prévoyait en même temps la construction d'un palais circulaire, le Grand Palais des Hôtes de marque, destiné à accueillir dans un proche avenir des maîtres du monde, illustres représentants de clans propriétaires de chiffres et de logos : magnats du pétrole et de la pharmacie, grands leaders de l'alimentation, de la guerre et de la communication, doigts bagués dans la police d'assurance et dans la boîte à phynance.

On fit appel à des ingénieurs chinois qui répondirent présents, traînant dans leur sillage des entreprises prêtes à l'usage, des restaurants, des médecins, des médiateurs interprètes chargés de former d'autres médiateurs interprètes, une station radio diffusant des cours de langue chinoise, une imprimerie, un journal, un projet de barrage qui élèvera le niveau de l'eau de trente mètres et la rendra navigable.

Une route fut tracée, reliant la carrière de marbre au grand chantier. Les ouvriers arrivèrent de coins lointains, arrivèrent en nombre imposant et croissant, des prisonniers aussi. Et des prostituées, ramassées dans les rues d'autres villes, pour venir ici soulager la peine des hommes qui travaillaient à la construction de grandes avenues. Autrement, ces hommes rudes trouvaient encore la force de se battre entre eux, de se rouler dans la boue, de se sataner, sataner la couenne, après douze heures passées à batailler la broussaille, à batailler les troupeaux en transhumance ensommeillés contre les bulldozers.

Les travaux duraient.

Le Suprême Régnant était vieillissant. Et plus il vieillissait, plus il retournait à l'enfance, négligeant les obligations de sa charge, désormais occupé à augmenter la taille de son projet devenu son ultime jouet. Et son unique obsession devint les plans d'avenue s'élargissant de jour en jour, les plans, les plans, les plans... les plans de quartiers, les plans de centres commerciaux, les plans du Grand Casino, les plans d'une construction étrange semblable à un cirque romain, avec des piscines tout autour, les plans qu'il se faisait apporter parfois aux aurores, pour les éclairer des corrections et retouches qui lui venaient de ses rêves épiphaniques. Et selon une rumeur grandissante dans les cercles proches de l'Association des écrivains, il ne s'endormait le soir que lorsque sa préférée du jour (il était crédité d'une virilité inconsolable) lui donnait lecture de la prose de Le Corbusier ou des articles sélectionnés par ses soins dans *Architectonique*, revue d'art général.

Croyant sans doute que sa présence sur les lieux augmenterait la puissance des machines et le rendement des forces vives, il décida de se faire transporter dans l'aile achevée du château et ne s'en délogea plus, tomba malade, baptisa la ville Riviera I, peut-être parce que son marabout guinéen, ou son officiant vaudou venu de La Nouvelle-Orléans, ou son médecin éthiopien, qui était aussi kabbaliste et spécialiste de l'art contemporain, lui avaient tous prédit que sa maladie finirait bientôt et lui donnerait le temps de construire Riviera II après Riviera I, Riviera III après Riviera II, Riviera IV après Riviera III.

Peut-être aussi que ce chiffre I désignait un degré de perfection dans une hiérarchie des cités, sur une échelle confuse pour qui n'en connaissait pas les arcanes codés.

Les courtisans les plus fidèles continuaient à lui faire croire qu'il ne maigrissait pas, que tout ce qu'il mangeait ne ressortait pas aussitôt par tous ses orifices, qu'il ne suait pas la nutrition par tous ses pores, qu'il ne suait pas ses propres déchets par la bouche devant un parterre de courtisans accroupis, triés pour leur habileté hagiographique, qui venaient lui annoncer que, à sa gloire et en témoignage de son immortalité, la région du Plateau s'appellerait désormais la Province du Ciel où le soleil ne se couche pas.

Mais à tout ce qu'on lui disait désormais, il ne savait répondre qu'en recrachant l'odeur composite des gouttes qu'on lui administrait aux heures de repas sans repas, la nourriture aussi passant désormais par les veines.

Le Suprême Régnant mourut, et son corps fut livré au mélodrame des funérailles nationales.

Ça faisait longtemps que les querelles de succession agitaient l'entourage de ses deux fils – l'Amiral et le Contre-Amiral. Et l'atmosphère qu'il y avait entre eux était celle d'un round d'observation.

À la mort du père, l'Amiral se déclara Suprême Régnant. L'autre lui déclara la guerre. L'Amiral déclara que son frère n'était pas son frère, mais un enfant abandonné que le père avait, par mansuétude, recueilli et élevé en son sein royal. Un enfant de loin, hors de la lignée, indigne de porter les insignes du Totem à Tête d'Ivoire comme il convient de les porter, lorsqu'on préside aux intérêts du Pays Réel. On trouva un journaliste qui tailla au Contre-Amiral une biographie d'alien repêché dans un panier flottant sur le lac, et qu'on n'en parle plus, du puîné et de sa généalogie d'amphibie.

Mais le Contre-Amiral, le puîné, ne manquait pas de plumes à têtes chercheuses, maîtresses dans l'art de semer le doute sur les origines de l'aîné, lui aussi.

155

Parut alors une biographie non officielle, portant le sous-titre de « L'Enfant sauvage », où l'on verra au chapitre Ier des chasseurs témoigner sous couvert d'anonymat qu'ils avaient arraché l'Amiral à l'âge de six ans à une bande de babouins qui l'avaient élevé en forêt. L'Amiral n'était pas d'origine, ça se saurait. Sa généalogie simienne, qui l'apparentait à un sous-ordre de mammifères primates, était plus que parallèle à celle des enfants élus du Totem à Tête d'Ivoire.

De sorte que la suspicion vint à peser sur tout le monde, et c'était à qui le premier accuserait l'autre d'être un Sans Totem, une Anomalie.

C'était un temps où il fut brutalement admis qu'on pouvait être réveillé un matin par les cris d'une curée : « L'Anomalie / l'Anomalie / l'Anomalie / Sans Totem l'Anomalie / Sans Totem. »

On pouvait se lever comme à l'ordinaire, et voir un homme qui jusque-là recevait salutations et distinctions parmi les notables de son quartier, le voir proprement traîné dans les rues à travers cris et coups « l'Anomalie Sans Totem ».

L'Anomalie ainsi désignée était porteuse d'un signe d'étrangeté, d'une étrangeté si grande que même la peste ou la lèpre semblait plus familière.

Il faut imaginer le chemin bousculé de la horde civile jusqu'au cimetière, où l'on demandait à l'homme d'indiquer les tombes de ses ancêtres, afin de constater parmi les bornes de son lignage les chaînons manquant entre lui et l'Ancêtre Suprême, le Totem à Tête d'Ivoire. Afin de s'autoriser à le jeter aux obscurités du dehors.

On l'engraissait d'abord des déjections sonores de la foule, comme on engraisse le zébu pour offrir le sang. Et c'était quelqu'un dont on avait un jour déjà démonté le jardin potager, le jour suivant arraché les rideaux, auparavant défiguré le seuil, à présent poursuivi de projectiles parmi lesquels des denrées sorties de sa poubelle saccagée, et c'était comme si on mettait dehors en même temps le contenu d'un ventre (maïs, manioc bouilli, igname aux tomates blettes, épinards, chair à saucisse).

Et sous le couvert de telles cérémonies on pouvait régler, pour le prix fort convenable d'une grenade qu'on jette dans un trou, d'épineuses questions de voisinage, qu'un chat aurait réglé en pissant.

VIII

Nous avons roulé toute la matinée. Nous avons traversé des lieux périmés que les cartes continuent de signaler, dont il ne reste plus que les sentiers dénudés par le feu, quelques touffes de vie sauvage qui tentent vaillamment de reprendre, au pochoir, sur une terre de teigne et de pellagre.

Autrefois, la proximité des villages était d'abord signalée par des tas de fagots de bois, d'ignames, de charbon. Et lorsqu'on approchait le panneau de bienvenue, on pouvait voir une chèvre, un mouton, un âne, un cheval, attachés au poteau. Et des véhicules en stationnement aimantaient de sous les taillis un brouhaha de corps et de voix. Et des vendeuses jetaient leurs bras glissants de sueur par les vitres ouvertes avec, au bout des doigts, le frétillement d'une tranche d'orange, la moiteur coulante d'une banane flambée au soleil, une coupelle avec des morceaux d'avocat, les bouts de doigts comme des bourgeons de plaisir, pour goûter, disaient-elles. Et ça aussi, et ça aussi, disaient-elles au moment même où elles vous faisaient un prix pour le sachet que brandissait l'autre main.

Quelques kilomètres plus loin, des poteaux de haute tension annoncent la proximité d'une de ces habitations d'ouvriers qu'on appelle Cités nouvelles. Traversées par le chemin de fer électrique qui transporte les travailleurs jusqu'aux champs pétrolifères. Des hangars industriels colonisant un village par légions, remplaçant les maisons sur pilotis. Certaines de ces maisons qui tiennent encore debout sont frappées d'une croix à la chaux, les désignant à une destruction imminente.

(Des paysans ayant survécu à la guerre, revenus d'une fuite en boucle, longtemps mis en orbite autour de noyaux de feu, quand ils purent enfin accéder à leurs demeures tombaient sur un papier jaune collé à la porte, une croix tracée sur les murs. On allait chercher quelqu'un qui savait lire, qui péniblement décryptait l'arrêté à cinq chiffres augmentés de quelques lettres de l'alphabet, relatif au grand projet de « Cité nouvelle » dont ni le lecteur ni personne ne comprenait les alinéas rangés à la queue leu leu sur le papier jaune, sauf qu'il leur était demandé d'abandonner leurs terres dans un délai de trois mois.)

À l'approche du lac, nous avons fait une pause dans le silence protégé par un restant de végétation, hautes herbes et grands tecks fins avec des feuilles qui reprennent du vert à la faveur de la saison boueuse.

On entend Marlène répondre à un oiseau. Puis le temps d'un silence où je la revois comme je l'ai vue la veille, assise par terre, devant la cabane à outils dans le jardin, les yeux fixés sur le berceau, mes bras soutenant ses épaules, sa bouche poussant hors d'elle un rire semblable aux sons qu'à présent elle échange avec les oiseaux. Comme une langue commune. Ce que je prenais hier encore pour un rire était peut-être une langue qu'elle parlait dans un état de corps animal.

Le temps d'un silence et soudain le cri. Quelque chose comme un vomissement long, bruyant et sec. Nous avons tous couru en direction de la voix malmenée. Marlène est à genoux, penchée vers l'avant, le regard fixé sur l'animal suspendu à la barrière, mort depuis longtemps, un âne, les pattes soufflées, l'abdomen évidé et aplati, les côtes perçant à travers la faible résistance de quelques touffes de poils, quelque tranche de chair retenant encore la queue contre les os du bassin.

Dans la lumière du soleil traversant la prairie, la

scène a l'étrangeté d'une madone en prière devant quelque charme païen, ces pourritures menaçantes avec lesquelles certaines tribus de film d'aventures décorent l'entrée de leur village.

Elle demande si quelqu'un a trouvé sa caméra, si quelqu'un a trouvé sa caméra, si quelqu'un a marché sur la caméra tombée dans l'herbe, oui.

La voix de Marlène touille une bouillie de mots balbutiés où l'oreille distingue les sons *mer, la mer* et, petit à petit, la phrase entière de plus en plus audible qu'elle psalmodie comme un vœu sibyllin à une divinité de la nature.

– Filmer la mer, dit Marlène. M'asseoir devant la mer et filmer la mer, tous les jours de ma vie, devant la mer et filmer la mer.

Nous avons ramené Marlène à la voiture, redoutant quelque chose qui nous observe peut-être encore, quelque chose de grouillant qui pourrait survenir et nous happer. Comme si sous chaque herbe il y avait l'œil d'un piège, « l'Œil de la nuit » comme on appelle ici ces engins explosifs faits pour durer dans l'oubli du sable et sous la pluie, jusqu'à ce que la graine de feu germe tout à coup sous le pas d'un âne, « l'Œil de la nuit » dans le sol plastiqué, qui balaie les pattes et accroche le reste du corps à une barrière, où bruisse encore un papier jaune de l'arrêté à cinq chiffres augmentés de quelques lettres de l'alphabet que le hasard du vent avait accroché là, en s'en allant.

D'abord, à un commencement, Marlène est arrivée ici pour s'occuper du Centre où l'on abrite les filles revenues de captivité. Avec des bébés conçus de force accrochés au ventre de certaines d'entre elles. Maudites de village en village. Dans leur propre village déjà, on les appelait « les filles touchées par l'ennemi ». Ici où l'on a des épouses en grand nombre pour les humilier et les battre, où l'on fait des fils en grand nombre pour asseoir son autorité, des hommes blessés par la défaite faisaient honte à des filles blessées pour cacher leur propre honte de n'avoir pas su les protéger de l'ennemi, comme tout bon guerrier se vante de protéger les siens.

De leur défaite, ces hommes ont tiré l'inspiration pour composer des catalogues d'insultes, des chansons de moqueries et de malédiction pour bafouer « les filles touchées par l'ennemi », les assaisonner de mille tourments, les frapper d'un si grand délaissement que la plupart en devenaient comme folles et, habillées de sacs de jute et de raphia, elles rôdaient autour des marchés, où il fallait les convaincre de venir accoucher dans le refuge du Centre.

Marlène dit que, dans le Centre, les nourrissons, à la tombée du jour, on les sortait et on les exposait dans le regard des petites mères ahuries sur les photos qu'elle m'a montrées durant le voyage : poupées géantes ou divinités désactivées dont on attendait des actions de grâce, dont on attendait en vain des actes de mères nourricières. Et on plongeait dans leur regard sans tendresse des nourrissons atones, comme pour les allécher avec le fruit de leurs entrailles, et appâter en elles une part embryonnaire de volupté maternelle.

Des filles assises sur leurs robes rigides, on ne voit pas les chaises, les robes aux croupes énormes enveloppant les chaises jusqu'aux pieds, la tête droite, une rangée, douze-treize ans, la même ancienneté précoce sous les paupières : cet abandon boudeur qu'on lit dans les portraits de rois enfants, qu'une banale fatalité avait précipitamment levé du pot et greffé sur un trône.

Des statues de tissu amidonné qui pleuraient soudain, immobiles, quand les nourrissons pleuraient, ne sachant rien de l'art des décoctions ni des gestes qui rendent mère, qui calment la fièvre.

Et dans le Centre il y avait de vieilles femmes qui lavaient les enfants et enseignaient aux petites mères des mouvements du poignet, des mouvements de la paume et des doigts écartés, des prises par lesquelles on massait la tête et les vertèbres. De vieilles dames apprenant aux petites mères les chants qui soutiennent ces gestes, ces gestes qui charpentent l'enfant aussi sûrement que ses os, des chants que Marlène avait fini par apprendre elle aussi :

Par où la tête s'est heurtée au sable en venant au monde
Par où l'oreille a traversé le fracas en venant au monde
Par là j'ai massé
J'ai massé par où la peau a heurté dehors
J'ai massé le corps, massé l'air, massé la terre
Par où les yeux ont heurté le ciel en venant au monde
Par là j'ai massé
Par où l'oreille a heurté le fracas en venant au monde
Par là aussi j'ai massé
J'ai massé le corps, massé l'air, massé la terre

Marlène dit, à la fin de la chanson, que la direction de son association, en France, il y a six mois, avait décidé de suspendre toute activité. Elle ne dit pas les raisons. Elle a décidé de rester là. Elle dit :
– Je sais que c'est une folie.

Et puis il y a ceci : Elle voit le directeur de son association sur une chaîne mondiale par satellite, filmé de profil dans les locaux du siège à Paris, le visage à hauteur de la signature de Picasso sur un des fragments de *Guernica* qui décore les murs. Elle dit qu'à ce moment elle s'était retrouvée par terre, comme on tombe du lit, sans le souvenir du rêve vertigineux qui vous a poussé. À la question : « Vous n'avez plus personne sur place,

167

là-bas, en Afrique ? », l'homme a répondu : « Nous avons sauvegardé les infrastructures, bien sûr. »

Elle dit ceci :

– J'ai le cœur trop vaste. Je m'y perds.

Elle dit que d'abord elle a été étonnée de n'avoir pas pleuré. Juste senti passer le choc des larmes. Comme un coup de tonnerre. Et pas une goutte. Pas la moindre. Une déflagration à blanc qui l'a défigurée, qui a saisi son visage dans ce masque de Tête tragique.

– En une nuit, dit-elle. Et depuis, j'ai l'air de quelqu'un qui pleure. Ça doit être définitif. Comme le titre d'une peinture : *Quelqu'un qui pleure*.

Elle croit que c'est génétique. Elle dit ça en riant. Elle dit que sa grand-mère a perdu ses cheveux en une nuit, non, ses cheveux ont blanchi en une nuit, elle dit :

– Je crois que je vais me taire.

La Jeep a amorcé la montée. Nous les avons vus glisser et se lancer vers nous.

Quelques instants auparavant, les bicyclettes avaient surgi une à une des pistes adventives tout en haut de la pente, poussées par des gaillards en culottes courtes, certains tenant le guidon d'une main, de l'autre tentant de stabiliser la charge débordant du porte-bagages, l'empilement jusqu'au ciel des régimes de bananes ficelés comme des fagots de bois.

Ils étaient arrivés clopinant sur le flanc de la montagne, le corps et la pente faisant angle, puis s'étaient alignés de chaque côté de la route, un pied servant de frein, l'autre servant de cale. Et une fois l'attelage – homme, mécanique et charge – stabilisé, les têtes s'étaient redressées, le regard jaugeant non pas la route mais le trou de séparation entre le ciel et la vallée, les corps bloqués en alerte, du moins c'est l'image qu'ils donnaient, le regard rigide comme dans un viseur, immobiles dans la position du guetteur, semblables alors à ces animaux qui soudain se figent, les narines au vent, le cou unanimement dressé, réagissant tous dans la même seconde au signalement d'une odeur.

– Les Bananes-kamikazes. C'est la saison des Bananes-kamikazes, dit Maïs que le coup de frein a réveillé.

C'est la saison où les Brasseurs Van Alstein lancent la bière locale de Noël et de banane. Et lancent sur les routes les s'en-fout-la-mort de la livraison bananière que l'on peut voir à présent dévalant la pente à une vitesse de folie, hurlant « La banane est de retour, la banane est de retour », ressemblant, au moment de nous croiser, à des images flottantes à l'encre de Chine dans le blanc du soleil, amas de taches évoquant un groupe de personnages.

– On ne s'y fait pas, dit David Watson.

Derrière nous, le lac, les palétuviers, les cônes de palmes tressées : rares pièges de pêcheurs qu'une minorité de personnes vieilles et inlassables continuent d'enfoncer dans la vase. Pour attraper parfois quelques poissons aux écailles collantes, ou plus souvent de gros bidons que des négociants clandestins, anciens pêcheurs eux-mêmes, désormais convertis au trafic de fuel, ont coutume, à l'approche des patrouilles, de confier à l'eau et à la nuit.

Nous avons repris une route plus solide à partir de l'autre côté du lac, d'où l'on peut voir les puits de pétrole au loin crachant leurs langues de dragon.

C'est ici que *Le Moment présent*, grand quotidien national, vient pêcher ces images où l'on voit, dans la perspective d'une savane clairsemée, la course interminable d'un tuyau géant, et la légende dit : « À travers ce conduit, le pétrole brut coule sans discontinuer et parcourt plusieurs kilomètres jusqu'au port d'exportation du naphte national. »

David Watson a mis l'autoradio en marche. Aussitôt, les voix mâle et femelle d'un couple vedette vantent les vertus de la télévision à écran plat, indispensable dans votre liste de mariage, pour ne pas oublier qu'aimer, c'est regarder dans la même direction.

Dans le babil des informations, on apprend que ces paysages chamboulés que nous traversons, « ces territoires qui, malgré leurs richesses naturelles, avaient été cultivés durant des siècles par des *moyens dépassés*, vont être transformés par le savoir-faire des ingénieurs chinois en une zone économique unifiée et exploitée suivant de vastes lois d'ensemble, comme le veut le Nouvel Ordre Moderne. Déjà, dans les plantations, on brûle les *instruments aratoires dépassés* pour les remplacer par *les tanks de la paix*, comme il a été convenu de baptiser la dernière génération de tracteurs offerte par la Chine ».

L'éditorialiste invite le monde à sentir « la portée de cette puissance nouvelle qui s'érige, appuyée d'un outillage formidable, sur les forces vives et fraîches du Nouvel Ordre Moderne ». Les nouvelles dans la rumeur disent que « moderne » est une blague dont rira bien jaune qui rira le dernier. Mais on fait confiance au ronflement répétitif et accéléré du « pays moderne » pour recouvrir proprement les échos encore obsédants du « pays réel ».

C'est la fin du jour, l'heure où, sur toutes les fréquences, on fait le bilan chiffré de l'histoire en marche forcée depuis Oklahoma City, Barcelone ou Tel Aviv, j'ai du mal à entendre la radio, c'est le soprano de Marlène qu'on entend *This is the end/My only friend The end* le soprano de Marlène brouillant les chiffres égrenés depuis des sites d'opérations meurtrières: rues, marchés, places publiques, places fortes de lointaines villes *No safety nor surprise The end* Johannesburg, Nouvelle-Orléans ou New Dehli, je n'entends plus rien. David Watson tape un rythme brouillé sur le volant, pulsé dans la nuque par le soprano irradié de Marlène *I'll never look into your eyes again/I'll never look into your eyes again/I'll never look into your eyes again*

Les nouvelles dans *Le Moment présent* disent que les accords entre les deux Grands prennent une tournure pleine d'espérance. Les deux Grands, ce sont les deux frères – l'Aîné et le Puîné de Feu le Suprême. Ils se serrent à présent la main gantée sur la photo de réconciliation publique. Il faut imaginer les hommes de confiance que chacun, par peur de l'autre, a posté autour de l'estrade, les forces invisibles en position sur les toits, les partisans provocateurs déguisés en foule du dimanche, ne laissant rien paraître de l'énergie froide d'une guerre sèche. Les nouvelles dans la rumeur disent que le véritable lien entre l'Amiral et le Contre-Amiral, ce n'est pas *l'imprescriptibilité* des accords signés. Mais la peur, en particulier la peur du poison, le poison qui passe par le boire et le manger, le Polinium 210, le poison qui passe par la peau à travers le slip. La peur de l'un d'être tué par l'autre circule entre eux en boucle, et cette peur fait tendre la main de l'un vers l'autre, une peur sans relâche au plus haut sommet du nouvel ordre où désormais l'Amiral et le Contre-Amiral ont fonction de Cerveau suprême de l'État, et représentent les deux hémisphères de ce que les journaux appellent « la nouvelle gouvernance duelle ».

L'Amiral et le Contre-Amiral parlant désormais d'une seule et unique voix, semblable à la voix de leur père. Et c'est comme si l'organe vocal du Suprême émettait encore depuis les ossements et les pourrissements de sa tombe, perçait encore par métastases sonores.

– Sentez la portée de cette puissance nouvelle, dit l'Amiral.

– Je dirais même : cette puissance nouvelle qui s'érige, dit le Contre-Amiral.

– Appuyée d'un outillage formidable : le Nouvel Ordre Moderne, dit l'Amiral.

– Je dirais même : cette puissance nouvelle qui s'érige sur les forces vives et fraîches du Nouvel Ordre Moderne, dit le Contre-Amiral.

Et sur toutes les images de leurs apparitions, on voit souvent, en retrait, le regard fuyant l'objectif, tourné vers le haut, le nouveau Prophète vivant des Derniers Jours, qui se fait appeler M.U., le Grand Introspecteur, qui enseigne la purification des émotions par le pardon, qui enseigne que les temps bénis prophétisés par les Écritures bibliques et par l'utopiste Proudhon, ces temps où « le lion mangera de l'herbe tendre à côté de l'agneau, et se laissera monter comme un poney par les petites filles », ces temps messianiques seront accomplis lorsque victimes et bourreaux s'uniront dans l'émotion lumineuse du pardon.

Il dit que les vrais responsables des folies meurtrières ne sont pas les hommes. Mais des divinités hostiles et mystificatrices qui ne carburent qu'avec les émotions mortifères des hommes. C'est pourquoi elles n'hésitent pas à mettre en surrégime ces « petites unités de production émotionnelle » que nous sommes à leurs yeux, pour intensifier la récolte de fortes émotions guerrières. Et l'on ne peut échapper à leur emprise que par l'énergie agglomérée du pardon, professe M.U. (que le petit peuple des quartiers traduit Monnaie Unique, parce qu'il ne manque pas, à la fin de ses exhortations, d'appeler à augmenter vos revenus en contribuant à l'œuvre d'un Dieu nouveau, pour une nouvelle humanité).

IX

Le Plateau. Un champ de panneaux clignotants, pissant des flèches fantaisie, nerfs de lumières rougeoyantes et bleues, animant des tours lancées dans une course vers le plus haut des Cieux, leur verticalité drue relayée par la parabole des antennes, déshonorant sans pitié l'espèce de pigeonnier qui surélève l'aile achevée du château.

Là où ne croissaient que les palmiers sauvages s'élèvent aujourd'hui des usines gigantesques entourées d'une ville qui héberge déjà des centaines de milliers d'habitants.

Tout le monde dans la voiture s'est presque réveillé. À la même seconde.

– Regarde.

– Regarde les vautours.

Les vautours, qui semblent maintenant nous bouder avec des yeux de chat, ont jailli au moment où nous avons amorcé la descente, et sans hésiter, sans tournoyer – Regarde –, les vautours se sont abattus sur les panneaux géants ornés de slogans publicitaires en anglais et en chinois.

Une haie d'accueil protocolaire de vautours relâchés mais sans tranquillité, se balançant une fois en équilibre, singeant la maladresse avertie du funambule virtuose qui fait semblant de s'affaler, rien que pour vous couper un instant le souffle.

Porte Ouest, où la ville se mue en champ de fumée. Sur le terrain vague jouxtant le Sanatorium. Le revenant fait le compte des monticules d'ordures portant des enfants se libérant d'un étron, rognant avec la même dent et l'ongle et le beignet. Quelques cochons non loin, broutant le caca poudreux.

À l'entrée du bâtiment, des 4 × 4 nous avaient déjà précédés, aussitôt assaillis par la bande d'enfants régnant sur les alentours, et discutant par la vitre ouverte le tarif du gardiennage dans cette grouillante discipline de fourmis chasseurs, noirs lutins malfaisants sortis de fourmilières catacombes. On les appelle fourmis magnans, enfants chasseurs. Têtes d'obsèques, on les appelle.

– Méfiez-vous des enfants.

C'est ce qu'on dit à tous ceux qui viennent de loin pour prêter main-forte : visiteurs de bonne volonté, professionnels de l'abnégation, nobles étrangers on les appelle ici, et on leur dit, première chose – « Méfiez-vous des enfants, nobles étrangers, quand vous descendez de ces voitures qui vous rendent tous beaux. »

(Ces voitures courageuses garées en ligne, couvertes de boue, boue rouge translucide des coteaux villageois, qui s'attache aux portières, qui tient bien aux vitres, pour venir narguer la boue noire que les véhicules font gicler avant de s'immobiliser devant le Sanatorium.)

– Méfiez-vous des enfants, vous voyez.

Il y a des contes cruels qu'on jette au casier des faits divers et aux dessinateurs hâtifs de chroniques judiciaires : Le gamin Untel s'est disputé parce que son équipe avait pris un but à zéro.

« Et Un dans le cul. Et Zéro dans la culotte. Et Un dans le cul. Et Zéro dans la culotte », disait la chanson de moquerie des supporters adverses. On connaît l'histoire du gamin parti charger un fusil, ça traînait, des balles, ça traînait, il revient, et Un dans le cul et Zéro dans la culotte, il revient et il tire dans tout cet embarras.

– Méfiez-vous des enfants, vous voyez.

Nobles étrangers, quand vous descendez de ces voitures qui vous rendent tous beaux, quand vous tombez dans le nouveau centre-ville où la télévision s'offre gratuitement par la vitrine des magasins et des bars, quand vous tombez sur le bouquet de regards d'enfants en arrêt sur le même trottoir

– Méfiez-vous des enfants.

C'est ce qu'on dit quand on croise la vieille Mademoiselle Élisabeth de la Mission qui pratique le bienfait comme un sport de l'extrême depuis l'âge de vingt ans, et le don de soi comme un vœu de chasteté depuis le même âge.

– Méfiez-vous des enfants.

C'est ce qu'on dit en guise de parole d'accueil à David Watson qui est arrivé depuis le Bronx, avec mission d'assouplir les poignets et les doigts de ces enfants par le truchement du dessin et de la peinture, de leur redonner par cette pratique le goût des gestes sans raison, qu'on appelle jouer ou inventer le monde.

– Mais les enfants, dit David Watson, il y en a qui ne dessinent pas. Il y en a beaucoup. Ils ne dessinent pas, ceux qui serrent les poings, ceux qui cassent les crayons, ceux qui volent la colle. Ceux que certains observateurs thérapeutes préconisent de soigner par caresses régulières d'animaux au pelage doux, à la ménagerie du Sanatorium.

David Watson montre la ménagerie. De grandes cages vides, avec des ardoises signalétiques agrafées au grillage, semblables à des fiches anthropométriques ornées de photos de singes vus de face et de profil, protégées par une guirlande de mots latins.

Les singes qu'on avait prévu de faire venir pour donner le bon exemple du jeu collectif, du contact et de l'espièglerie avaient eux aussi souffert de cette guerre, et ils n'étaient pas moins détraqués que les gosses.

Les enfants, même ceux qui dessinent, à vrai dire, ils tirent des traits. Un enfant dessine un bonhomme, une maison, un animal, un arbre. Ces enfants ne dessinent pas de maison. Ils tracent des plans, leurs maisons sont d'incompréhensibles abstractions, des cercles, des spirales, des figures géométriques alignées ou dispersées, des angles, des points, des lignes. Et rien de ces fenêtres qui sont paupières riantes. Et les arbres qu'ils font sont des alignements de croix.

– *That's all folks*, dit David Watson.

X

La photographe m'a fait essayer la pose sur un fond d'hibiscus après m'avoir proposé la plage, le double battant d'une porte de saloon, la bibliothèque avec des livres reliés en cuir, décors en trompe-l'œil peints sur du contreplaqué, destinés à transformer le client désargenté en personnage souriant sur la photo, la main posée sur le capot d'une voiture ou sur un frigo ouvert dans un intérieur cossu. Tel mécréant peut se retrouver, s'il le souhaite, paré de deux ailes d'ange, la tête sanctifiée par le halo d'une auréole, spécialité que la maison a baptisé dans son catalogue : *Faux papiers pour le ciel*.

MIRACLE DE LA PHOTOGRAPHIE – AÏSSA KONÉ, EXPERTE EN PHOTOGÉNIE, dit l'enseigne.

J'avais repéré ce kiosque de photographe d'où je peux observer à présent, en face, la grande grille de l'Institut Free Spirit où travaille Asafo Johnson comme «coach en Littérature vivante». Un établissement privé d'enseignement supérieur fréquenté par une jeunesse sans souci d'argent, où le chic du dernier chic consiste à appeler les enseignants « coach », où plus de la moitié des cours sont en anglais, où les cours de langue anglaise sont donnés par des *natives*, c'est-à-dire des Américains et pas des Kenyans ou des Indiens.

Pendant que la photographe me propose de poser dans un paysage enneigé, après avoir fait surgir une paire de skis rouillés de n'importe où, elle me dit qu'il ne faut pas croire tout ce qu'on raconte, mais on murmure que cet institut ne serait qu'une officine du nouveau Prophète vivant des Derniers Jours qui se fait appeler M.U.

Sans compter qu'il a un doigt partout dans les fédérations de sport, les associations écolo-mystiques, les regroupements de femmes cultivatrices de coton national. Et même dans les caisses du *Moment présent*. À se demander combien de doigts cet homme pourrait bien cacher encore, combien de doigts à cette main droite que M.U. cache à la manière de Napoléon dans les replis de ses costumes d'apparition publique : mélange de rouge toge et de blanc titane.

– On ne compte plus, dit la photographe interrompue par un cri ATTENTION le cri d'un motard ambulancier se rapprochant ATTENTION LA DOULEUR PASSE ATTENTION LA DOULEUR forçant la photographe à augmenter son volume pour énumérer le business des diplômes, les librairies d'occasion, les stations de radio, les kiosques à journaux, les bibliothèques ambulantes, avec des ouvrages qui favorisent l'autoréalisation et provoquent les retrouvailles avec soi-même, le développement personnel durable, ce genre d'attrape-égos qui vous coûtent les yeux.

On entend une pétarade de mobylettes et le braillement de jeunes gens qui saluent la fin des cours, avant d'envahir la rue par les grilles ouvertes de l'institut, bloquant la moto ambulance.

On distingue le visage d'une femme en travail. Les cris de parturition couverts par le braiement du motard ambulancier. L'avertisseur vocal à présent bloqué sur le mode du grincement ATTENTION LA DOULEUR PASSE ATTENTION LA DOULEUR.

Et pendant un court moment, on croit assister à un simulacre de ce rite pratiqué chez les peuples qu'on dit forestiers, et qui commande à l'homme dont l'épouse perd les eaux de s'isoler pour hurler à la mort, comme saisi lui-même des douleurs de l'enfantement, jusqu'à ce qu'on lui apporte la nouvelle de la naissance qui le délivre de ses cris.

Le motard ambulancier a fini par s'exfiltrer au loin. On distingue le balancement de sa casquette de jockey ornée de croix tracées à la bave de peinture rouge. Avant que le flux de mobylettes recouvrant le trottoir ne force la photographe à rentrer son enseigne. Avant que les portefaix revenant du port ne se mêlent à la cohue, les portefaix retenant sur leur tête des ballots de friperies qui débordent l'envergure de leurs bras levés.

Parmi les signes des temps nouveaux, les nouvelles disent dans les journaux qu'il ne faut pas oublier le retour des bateaux poussant leurs ballots de friperies

dans les boyaux du Port en travaux, tout le vestimen-
taire en ballots qu'on éventrera à nouveau en public,
sur les places de marché, comme autrefois.

Dans mon enfance, Petite Tante racontait que les friperies qui voyageaient jusqu'aux côtes d'Afrique dans le
ventre des bateaux venaient de garde-robes de gens qui
mouraient là-bas en Europe et en Amérique, où il était
coutume pour les familles éplorées de brader au kilo les
vêtements de leurs défunts.

Et parmi ces morts dont nous portions les accoutrements, il y en avait qui étaient morts dans une guerre,
disait Petite Tante. Le marchand qui l'écoutait prenait
ça pour une tentative de critiquer les prix pratiqués:
« Trop cher pour une chemise de mort, c'est ça que vous
voulez dire », et coupant court au marchandage mal-
honnête: « Une grande guerre en Europe, c'est ça que
vous voulez dire, et ça fera baisser le cours des chiffons
en ballots ? »

Les ballots dont il n'est pas rare de voir sortir aujour-
d'hui des lots de manteaux, et même des chapkas, au
plus vif du climat soudanien. Et même des après-
skis dont on ne sait pas comment ceux qui les achètent
s'accommodent. Mais on s'accommode, on s'accommode, comme dit Aïssa Koné, experte en photogénie,
quand on lui demande comment ça va.

L'institut se vide à présent par petits paquets de gens
à pied.

XI

Je n'avais pas imaginé cette silhouette trouble qui finit de traverser la rue. Je ne sais pas si je me suis retenu de crier ton nom. J'ai plongé ma main dans la pochette accrochée à ma ceinture comme si j'allais sortir mon appareil photo, geste gratuit, geste de secours quand on ne sait plus quoi faire, quand n'importe quel geste fait l'affaire pour redonner sa contenance au corps momentanément dépaysé, geste insensé aussi puisque je n'ai pas oublié que j'ai laissé l'appareil photo en gage à l'homme de l'Agence Fructueuse. J'ai retiré ma main de la pochette, coupant le contact perturbant avec la crosse du pistolet, avant de me lancer dans le sillage de cet homme à la tête tournoyée de gauche à droite, de droite à gauche, le cou à l'oblique dans un sens puis dans l'autre. Cet homme marchant la tête renversée vers le haut des arbres et des immeubles. Comme si ses yeux étaient seuls à voir dans le ciel assombri un astre lui indiquant la route, alors que ses jambes, je ne sais comment, arrivent à slalomer entre les petites charrettes qui encombrent maintenant le trottoir, emportant de grosses marmites vers quelque fête ou quelque boui-boui. Des attelages criards. Des mains d'enfants soutenant des marmites fumantes, encensoirs géants aux effluves gonflées d'épices, les mains poussant et tirant les charrettes, retenant et réajustant le coussinet de raphia qui équilibre le cul de la marmite, le reste débraillé du coussinet servant, à qui mieux mieux, à saucer la teinture rouge d'huile de palme débordant par éclats.

Moi forçant mes jambes. Mes jambes forçant à travers l'encombrement des sauts et des cabrioles des enfants autour des charrettes, élargissant la distance entre Asafo Johnson et moi, jusqu'au moment où les enfants et les charrettes ont continué dans la ligne droite en direction de l'Esplanade, où l'on entend, au loin, les bruits d'une fête.

Nous arrivons dans une rue latéritique, bordée de manguiers, qui contourne maintenant le Centre de la Renaissance des Arts, où des baraquements d'artistes sont reliés entre eux par la solidité d'une clôture grillagée.

On voit des inventions sculpturales, des assemblages inédits d'outils aratoires, d'ustensiles de cuisine, d'instruments d'artisan, des pioches et des houes greffées à des tuyauteries de mitrailleuses, toute cette œuvre d'ar attendant d'être transportée par cargo vers l'Europe, pour être exhibée à la Foire universelle des Esthétiques métissées, avec l'étiquette *Née sous la guerre*. On dit que c'est la mode là-bas de croire que le génie de l'art habite les grands déserts d'épouvante.

À l'entrée du quartier résidentiel, on voit un socle en béton armé et troué, solide et vide, à part de grosses armatures de fer tressé, derniers vestiges d'une œuvre inaugurée. On voit la date, le nom de l'artiste, le titre en rouge *Les Armes de la Reconstruction*.

Une œuvre dont le dévoilement avait dû glacer les familles, au point qu'on n'avait pas tardé à couvrir l'ensemble d'immondices, avant de déboulonner l'œuvre et de la mettre à terre – instruments de musique et jouets soudés à des pièces d'armes démembrées *Les Armes de la Reconstruction* –, le socle à présent tenant seul le poids de pisse et de vomi dans les creux d'une inscription gravée aux flancs NE PAS TOUCHER.

Je ne sais pas à quel moment je l'ai perdu de vue. Mais j'ai vu la lumière arriver dans le jardin, éclairer la cime des manguiers, puis une autre lumière, bleutée par les rideaux. À travers les fenêtres, je l'ai vu se mouvoir d'ombre en ombre.

Il me semble que je lui parle comme à un dormeur, comme on touche un corps familier qu'on regarde rêver, et qui ignore tout de ce toucher, qui ignore tout de notre présence, de notre existence même. Le décor de son rêve, intimité sans partage, nous sépare comme une éternité ou comme l'oubli.

Une histoire me revient, se dit le revenant, une histoire me revient depuis les lointaines lettres de Mozaya, l'histoire de deux frères siamois dont l'un perdit, un jour, la mémoire.

D'abord, ta voix. Ta voix ne m'a pas atteint quand tu m'as parlé. Ta voix est restée de l'autre côté de la grille que tu n'as pas décidé d'ouvrir, qui sépare nos bustes. Dehors. Nous sommes tous les deux enfermés dehors. Chacun de son côté, se dit le revenant. Nous nous tenons comme nous pouvons dans un parloir entre vivant et mort vivant, sans savoir quel côté est celui des vivants, lequel est celui des morts vivants. Je lis sur tes lèvres depuis un lointain isolement phonique. Je regarde tes lèvres se déformer avec insistance. Nous sommes au parloir dont l'hygiaphone est en panne. Des sons effilochés s'échappent de tes mots et me parviennent par effraction, pareils à des sifflements.

– Qui. Vous. Qui. Qui. Vous. Qui.

J'ai entendu une voix étrangère sortir brutalement du corps familier.

– Je ne sais pas qui vous envoie.

Il me semble que je lui parle. Il me semble que je parle fort. Quelques ombres ont précipitamment disparu des fenêtres. On entend des claquements de verrous. Un enfant a surgi des feuillages de l'unique arbre du jardin voisin, a sauté sur la terrasse avant d'être happé vers l'intérieur par le bras. On entend au loin des voix de Pleureuses crier.

Je parle des moments de désarroi que j'ai connus jour après jour, dix ans sans penser à demain. Nous étions à Nord Gloria comme des spectateurs sur le flanc ensoleillé d'une colline, les yeux abîmés par la vision d'un orage ravageant l'autre versant, avec la conscience honteuse de celui qu'on aurait forcé à regarder une scène de torture sans crier. Séparés de la scène par la protection de la ligne de démarcation, nous avions en permanence les yeux ouverts sur le théâtre des opérations, le saccage par le feu. Une histoire me revient depuis les lointaines lettres de Mozaya, où il disait qu'il ne savait plus comment cacher une peur inédite pour lui, une peur qu'il peinait longtemps à nommer d'un mot.

– Je ne sais pas qui vous envoie.

– C'est l'histoire de deux frères siamois. Le premier, un jour, perdit la mémoire et ne reconnaissait plus personne. L'autre mourut aussitôt. D'effroi. «Cette peur qu'il ne faut pas appeler par son nom», dit la lettre de Mozaya.

– Je ne sais pas qui vous envoie.

– Mozaya. Mozaya.

À plusieurs reprises, j'ai rappelé ce nom.

Comme ça m'est arrivé, il y a quelques jours, de le lâcher, membrane sonore après membrane sonore, dans le chœur des Pleureuses. Des femmes qui avaient fait le vœu fou, depuis la fin de la guerre, de se consacrer à la récitation publique des noms de morts et de disparus, ces femmes qu'on a vues vaguant de place publique en place publique, de maison en maison, recueillant à la volée des bouquets de noms que les gens lançaient à leur passage, les mêlant à la nappe sonore qui revient à présent m'envahir les oreilles.

J'ai levé l'arme.

Ta voix force encore jusqu'à moi.

– Vous ne savez pas qui je suis.

J'ai levé l'arme, se dit le revenant.

– Vous ne savez pas qui.

J'ai levé l'arme. Je ne sais pas combien de fois j'ai déjà fait ce geste, seul dans ma chambre d'hôtel, la fenêtre ouverte sur la nuit, combien de nuits finissant comme cette autre nuit qui m'a vu arriver, incapable de m'isoler dans quelque pays intérieur du sommeil, où l'on ne capte pas tous ces cris, combien de fois, le bras tendu par la fenêtre, j'ai visé tous ces bruits errants, j'ai visé toutes ces voix, j'ai visé dans le tas, tous ces êtres sonores envahissant la chambre et les couloirs, alourdis par le vent, combien de fois j'ai visé dans le chant des ouvriers nocturnes accrochés au flanc de la colline, occupés à ériger des pylônes aux endroits où les ouvriers du jour avaient dégagé les arbres abattus, j'ai visé les ahans, j'ai visé le rythme rouillé des machines, combien de fois, en compagnie de Maïs me tenant le bras, amusé, collé contre mon dos, j'ai visé dans les longs coups de sirène qui signalent aux portefaix endormis l'arrivée d'un bateau, jusqu'à ce que Maïs me retourne, m'arrache l'arme des mains, me pousse contre le mur, me vise entre les yeux, à la distance où je te vise à présent, Asafo Johnson, regarde.

– Regarde à cette distance ce qu'on voit à l'intérieur d'un canon.

Je me souviens d'avoir dit ça, mais je crois que c'est la voix de Maïs. Dans mon for intérieur une voix ressemble à la voix de Maïs, dans un volume assourdissant : « La fourche du pouce et de l'index centrée dans l'axe du canon. On appelle "âme" l'intérieur d'un canon. Pression sur la queue de détente qui décroche la gâchette. Impact. Trou du projectile dans la cible. »

– Vous ne savez pas qui.

« L'index décollé de la carcasse de l'arme, comme ça, comme ça qu'on dit : la carcasse de l'arme. Les trois doigts serrent la crosse du pistolet. »

– Vous ne savez pas qui. Vous ne savez pas qui.

J'ai visé l'insignifiance de ces mots, j'ai visé jusqu'à l'insignifiance le silence qui suivrait ces mots si je lâchais à l'instant le fracas du coup. Trou du projectile dans la cible. Pression sur la queue de détente qui décroche la mort.

Je suis un mauvais élève concentré sur les étapes d'une opération dont le sens et la nécessité lui échappent au fur et à mesure qu'il croit avancer, cancre consciencieux ralenti par le doute sur la clarté promise au bout.

Il serait bien extraordinaire, se dit le revenant, il serait bien extraordinaire… Et je ne sais depuis quel âge lointain se répètent les mêmes mots dans le même ordre, dans la même langue ancienne : Il serait bien extraordinaire que des milliers d'événements qui surviennent chaque année résultât une harmonie parfaite.

Je retiens l'arme plus que je ne la tiens. Les trois doigts serrent la crosse du pistolet mais cette chaleur. Mes doigts déjà épuisés par l'effort de tenir l'arme se désolidarisent les uns des autres, se dessoudent sous l'effet de cette combustion dans l'épicentre de ma main. Et il me semble que, à cet instant, ce n'est pas ma main qui ait jamais tenu l'arme, qui la tient encore, c'est une copie conforme de mes cinq doigts, sans la sensation caractéristique qui en fait ma main, c'est le prolongement d'un autre corps que le mien, jusqu'à ce que la sensation même d'avoir une main disparaisse, jusqu'à ce qu'il ne reste de cette main que la douleur du membre fantôme et le poids de l'arme.

Alors il m'a semblé qu'il aurait été plus facile de mourir, que cette combustion déborde ma main, entame le bras, et se diffuse ainsi en gommant tout le corps, dont il ne reste déjà plus qu'une présence flottante.

J'ai entendu le bruit du pistolet heurtant les pierres du trottoir. J'ai entendu les pas d'Asafo Johnson fuyant vers la terrasse, le claquement d'une porte.

Je ne sais plus dans quelles rues vides je cours, pendant que dégringolent sans fin, depuis quelque vieux rayon du souvenir, les archives sonores des protestations isolées, désespérément humaines, qui avaient agité les rues de Nord Gloria au commencement de la guerre : J'entends ma voix au milieu de quelques innocents chantant, j'entends ma voix accompagnée de lourds tambours, dans un chahut où l'on prêchait à tue-tête la citoyenneté globale au village du monde. Comme on aurait fait confiance à un panneau STOP pour empêcher la crue ou la lave en furie de déborder la route.

Il serait bien extraordinaire, se dit le revenant... Et je ne sais plus depuis combien de siècles se répètent les mêmes mots dans le même ordre, une citation attachée dans mon souvenir à la dernière lettre de Mozaya, et mon souvenir va d'éternité en éternité : « Il serait bien extraordinaire que des milliers d'événements qui surviennent chaque année résultât une harmonie parfaite. Il y en a toujours qui ne passent pas, et qu'on garde en soi, blessants. Une des choses à faire : l'exorcisme. Cet élan en flèche et comme supra-humain de l'exorcisme. Tenir en échec les puissances environnantes du monde hostile. »

Les Pleureuses, leurs voix sans relâche, la constance de leurs voix de tête prend racine maintenant quelque part, dans je ne sais quelle grotte de mon for intérieur, plus sensible que l'ouïe. Et je les revois telles que je les ai croisées, il y a quelques jours, au quartier Lamentin avec Xhosa-Anna, ces femmes en procession qui recueillaient à la volée des noms lancés à leur passage, chacune répétant ces noms, les croisant, les mélangeant à d'autres noms qui semblaient tous se fracasser et s'échanger des syllabes dans la cohue.

Et il arrive que la force publique se saisisse d'elles, ne sachant pas quoi faire d'autre, ne sachant comment veiller à ce qu'elles soient mises hors d'état de nuire aux nouvelles qui disent Paix et Célébrations, ne sachant pas quoi faire d'elles, les conduisent hors de la ville, les retrouvent le lendemain en plus grand nombre, plus jeunes, plus vieilles, les Forces de la déploration, le peuple de femmes bruissant et claquant comme la mer que voulait filmer Marlène toute sa vie, prophétisant comme il faut imaginer qu'on prophétise sur les ossements:

Un martèlement continu de syllabes sans signification, avec des cratères dans la mémoire des mots et des noms, pour dire qu'on n'entend pas toutes les voix en même temps dans la même histoire, pour dire ce qui ne passe pas, ce qui ne s'efface pas, tout ça qu'on garde en soi, blessant, et que n'épuisent ni le placebo du pardon ni la table gravée des lois et des peines, ni aucune rétribution vengeresse.

«Il ne faut pas se parler tout seul», disait Petite Tante, se dit le revenant. Si jamais tu te retrouves dans un monde sans personne, parle comme le maître fou que l'on voit parler avec les choses. Parle au creux d'un trou laissé par un ver en passant par le fruit.

Je cours jusqu'à ce que tout ce qui ressemble à un chemin se perde dans la broussaille. Avant les ronces et la suffocation, je me suis agrippé à un palmier et je suis demeuré là, tronc contre tronc avec l'arbre, à me sentir proche non pas de la folie mais de la solitude qui peut tuer s'il n'y avait la folie.

J'ai été réveillé par de solides battements d'ailes groupés autour de l'arbre, transporté par une sensation familière, la caresse rude d'une voix à bout portant : « C'est la saison. Il faut se mettre en marche. » C'est la saison où Petite Tante m'emmenait dans une journée de marche fougueuse, quand reviennent les oiseaux par nuées. Et elle me racontait le long travail de migration qui les rudoyait depuis les lisières des terres, les harassait jusqu'aux lisières des mers, toute une vie ainsi.

« Il ne faut pas se parler tout seul, disait Petite Tante. Tu n'oublies pas de parler avec les choses. Parle comme le maître fou qui parle au creux de l'eau s'il y a eau, parle au creux du bois s'il y a bois, parle au creux d'une termitière s'il y a termitière. Et s'il n'y a rien de tout ça, fais un trou dans la terre. Si tu es seul au monde sur une terre endurcie, sur une dalle, pense au maître fou, et fais avec ton murmure un trou dans le vent. »

Elle disait que les oiseaux parlaient. À un temps des commencements. Car l'esprit de l'homme comprenait leur chant. Aussi clairement que la parole humaine. Et l'on entrait ainsi dans la camaraderie des oiseaux du voyage pour les écouter raconter, à grands cris étourdis, que d'une crête à l'autre des terres dispersées il y a, en abondance, des végétations jumelles. Et des hommes voisinant sans savoir que les franges effilochées des continents dérivant s'emboîtent toujours, que les racines de la terre sont aériennes, que le corps de l'homme est créature de l'espace, et qu'il n'en finit pas, semblable à tout autre corps, d'habiter un vaste creux du vide, de quel côté que ses pieds l'entraînent, semblable à tout autre corps céleste, sans autre marque d'origine que la trace volatile d'incessantes transmigrations, voilà tout.

C'est la saison où le soleil se lève avec les atours d'une lune rousse, tracté par de nombreux détachements de volatiles.

– Voilà tout, dit le revenant au petit creux de l'arbre, son esprit soudain traversé par une nostalgie sans origine, comme au temps où Petite Tante l'emmenait contempler la pagaille saisonnière des oiseaux du voyage, et que de sa parole naissaient des visions intérieures peuplées d'une foule fleuve, tous les regards attirés vers la profondeur du ciel, non pas pour implorer des Dieux, honorer des Anges, des Totems ou des Apparitions, mais pour lire dans les envolements d'oiseaux quelque chose du destin humain. « Un temps sans mesure », disait Petite Tante. C'était un temps où les animaux parlaient.

À Anne, Pascal, Milady Véronique, Takali, aux amours que nous composons.
Aux compagnons du Théâtre Inutile, paix et sérénité.
Aux navigateurs du chaos : Maxime, Raphaëlle, Emilio-Kodjo et Sacha, paix et sérénité.
Remerciements à Barbara Bouley.
Remerciements aux contributeurs fous de la Petite Unité de Production artistique.

RÉALISATION : PAO ÉDITIONS DU SEUIL
IMPRESSION : CPI FIRMIN DIDOT À MESNIL-SUR-L'ESTRÉE (EURE)
DÉPÔT LÉGAL : AOÛT 2008. N° 97193-4 (100511)
IMPRIMÉ EN FRANCE